vol. 15, nº 1, automne – hiver 2012 www.revueargument.ca

SOMMAIRE

Note de la rédaction

> *Aujourd'hui, l'intellectuel qui ne garde pas à l'esprit la question de l'héritage est perdu. À l'accusation de passéisme, au reproche d'élitisme, il n'a rien à répondre, s'il n'a conservé en lui une culture vivante.*
>
> Jean Larose

Cette livraison marque les quinze ans d'*Argument*. Tout un exploit pour une revue comme la nôtre, qui ne reçoit aucune aide de l'État, même si elle a pu longtemps compter sur le soutien des Presses de l'université Laval, et aujourd'hui sur celui des éditions Liber. Qu'il nous soit d'abord permis d'exprimer la reconnaissance des membres actuels du comité de rédaction à l'égard des fondateurs de la revue (Francis Dupuis-Déri, Daniel Jacques, Stéphane Kelly, Antoine Robitaille et Daniel Tanguay), à l'égard aussi de tous ceux qui l'ont animée au fil des ans (malheureusement trop nombreux pour être ici nommés), ainsi qu'à tous les auteurs qui y ont contribué sans autre rémunération que la stimulation offerte par le travail intellectuel…

Durant toutes ces années, *Argument* a défendu vaille que vaille une conception pluraliste du débat d'idées, ouvrant ses pages à des essayistes de tous horizons et de toutes tendances, dans la lignée d'un John Stuart Mill qui estimait, dans *De la liberté*, qu'« il y a toujours de l'espoir tant que les hommes sont contraints à écouter les deux côtés[1] ». Cette conception ouverte du débat d'idées n'a pas empêché la revue de prendre parfois

1. Trad. Laurence Lenglet, Paris, Gallimard, « Folio essais », 1990, p. 140.

parti, résolument, en particulier lorsque les dérives relativistes de l'éducation menaient à un avachissement de l'esprit critique, si important dans le domaine intellectuel comme dans celui de la politique.

À l'encontre de ceux qui s'emploient à réinventer la roue, *Argument* a toujours eu le souci de défendre une éducation humaniste, un héritage culturel à transmettre et à faire fructifier loin des modes du présent. Dès son deuxième numéro (paru au printemps 1999), la revue présentait un éditorial intitulé « Éducation et transmission ». Dans son volume 3, numéro 2, Daniel Jacques s'inquiétait « du sort réservé à l'enseignement de la philosophie », tandis que Georges Leroux, Gilles Gagné, Frédéric Lesemann et Gilles Labelle s'interrogeaient sur les dérives et « les misères » de l'université. En 2006, *Argument* consacra un imposant dossier à une critique du renouveau pédagogique, communément appelé « réforme », qui en était alors à ses débuts. Chaque fois, la défense d'une éducation humaniste et la volonté de transmettre un patrimoine culturel vivant furent au cœur de nos dossiers comme de nos éditoriaux.

Il était donc logique de revenir sur cette question au moment de souligner les quinze ans de la revue dans un numéro spécial. Entièrement consacrée à un dossier, cette livraison anniversaire porte un titre éloquent : *Sous peine d'être ignorant.*

Qu'est-ce qu'être ignorant de nos jours ? Une telle question revient à se demander : que signifie aujourd'hui l'expression « culture générale » ? À ces interrogations répondent une série de questions. Qui étaient *vraiment* Samuel de Champlain ou Abraham Lincoln ? Qu'est-ce que le totalitarisme, terme trop souvent employé avec légèreté ? Loin des images d'Épinal, que représente historiquement la longue période appelée Moyen Âge ? Pourquoi faut-il lire l'*Iliade* et l'*Odyssée*? Ce sont là autant d'interrogations qui balisent un certain nombre de savoirs essentiels, et qui, laissées sans réponse, tracent les limites de l'ignorance contemporaine.

Des pans entiers de ce qui apparaissait autrefois comme un bagage culturel minimal sombrent en effet aujourd'hui dans l'oubli, quand ce n'est pas dans une trouble indifférence qui fait en sorte que le présent lui-même, élevé au rang d'idole, devient indéterminé, intemporel, ou — pis encore — ne sont plus connus qu'à travers une *disneyisation* culturelle qui transforme la guerre de Troie en *heroic fantasy* sur grand écran, le président Lincoln en chasseur de vampires et la période médiévale en décor pour contes de fées.

Il est possible de nos jours, et nul ne s'en émeut, qu'un jeune homme ou une jeune femme de vingt-cinq ans, qui aura passé près de vingt ans sur les bancs de l'école, ignore tout ou presque des époques qui ont précédé celle, bénie, où il est né ; que les noms de Bach ou de Freud n'évoquent rien (ou à peu près rien) à ses yeux ; qu'il ne sache pas trop à quoi renvoie le syntagme « Grande Guerre », ou quelle est l'origine des Droits de l'homme qui jouent un rôle si central dans la politique actuelle ; qu'il n'ait pas, enfin, une idée un tant soit peu précise de ce que représente la Conquête dans l'histoire du Canada, pour s'en tenir à ces exemples.

Pourquoi ces connaissances (à une époque où l'école elle-même s'en méfie et leur préfère l'acquisition de « compétences ») paraissent-elles si essentielles ? Autrement dit, quelle est la valeur de la culture dite générale ? À l'appui de ces savoirs partagés, on peut alléguer brièvement au moins trois arguments. Tout d'abord, la culture générale est le socle commun sur lequel se fonde, dans toute société, un dialogue social fécond, socle commun particulièrement important dans une démocratie où la discussion et les débats d'idées, et non l'autorité, sont censés permettre de trancher la plupart des questions. De plus, la culture générale, sans cesser de se transformer, traverse les siècles et les générations ; elle offre un moyen d'appréhender le monde, non pas comme un espace neutre, géométrique, sans relief et débarrassé de toute dimension historique, mais comme un lieu signifiant, apte à être habité véritablement. D'un point de vue plus strictement individuel, enfin, la culture dite générale, ou « humaniste », permet de former son jugement. C'est grâce à elle que l'individu peut se repérer dans la réalité complexe et prendre du recul par rapport au présent. En clair : à qui connaît Bach, on fera difficilement croire que Lady Gaga ou Deadmau5 sont de grands musiciens. La culture générale offre donc un antidote au nombrilisme contemporain. Elle décentre l'individu de lui-même, donnant ainsi un sens plus profond à l'expérience humaine. À l'encontre de tous les conformismes, elle ouvre la question des fins de l'existence.

Afin de lutter, à sa manière, contre l'ignorance tentaculaire de notre époque, la revue *Argument* a concocté ce numéro spécial en forme d'anthologie. En vingt-cinq entrées (notions, personnages ou événements historiques, œuvres), il s'agit de définir le bagage culturel minimal que devrait, en 2012, posséder tout jeune homme et toute jeune femme de vingt-cinq ans, sous peine d'être ignorants. Loin de n'être qu'une simple accumulation de connaissances (supposées farcir les têtes bien pleines, mais mal faites que fustigeait Montaigne en son temps, mais pour d'autres raisons que ne le font nombre de pédagogues actuels), ce bagage culturel, pour être authentique, se doit d'être vivant, assimilé, et c'est pourquoi nous avons demandé aux auteurs invités à traiter leur sujet de ne pas s'en tenir uniquement à sa dimension encyclopédique, mais d'écrire un véritable essai, dans lequel seraient interrogées tout à la fois l'incidence historique et la portée contemporaine de la notion en cause.

Baliser la culture générale contemporaine et affubler du stigmate infamant d'*ignorance* ce qui s'en éloigne, voilà qui ne va pas sans périls : nécessité du choix, arbitraire inévitable, contraintes éditoriales, voire oublis. Notre vade-mæcum culturel de vingt-cinq entrées ne se veut ni exhaustif ni indiscutable : au jeu des listes, qui ne brandira pas la sienne ? Mais précisément parce que la revue *Argument* a été conçue dès sa naissance comme un lieu de débats, elle n'entend pas se dérober à ceux que ne manquera pas de susciter l'établissement d'une telle liste de connaissances de base, laquelle n'est qu'un premier pas, on l'aura compris, vers une réflexion sur l'acquisition nécessaire d'une authentique et profonde culture générale.

L'affaire Dreyfus, ou les intellectuels au secours du droit

Danièle Letocha

L'affaire Dreyfus est restée dans les consciences comme un cas de dérive autoritaire qui aurait pu être évitée mais qui, dans ses méandres visibles et invisibles, a clarifié le paysage politique français, démontrant que le progrès des libertés n'est pas une fonction linéaire dans le temps. Les reculs et régressions menacent donc toutes les sociétés modernes. Il faut apprendre à les reconnaître.

Il s'agit au départ d'une affaire d'espionnage militaire survenue en France sous la Troisième République. Elle se déroule de septembre 1894 à juillet 1906 et marque l'espace public français jusqu'en 1945. Le capitaine d'artillerie Alfred Dreyfus (1859-1935), polytechnicien issu d'une famille alsacienne, fortunée et juive, est condamné pour haute trahison par un conseil de guerre. La chose n'est pas unique : un précédent assez semblable avait eu lieu en 1888. Nous savons aujourd'hui que toutes les enquêtes faites sur les documents produits ou secrets concernant cette condamnation arrivent par divers chemins à la même conclusion : Dreyfus fut victime d'une erreur judiciaire grossière, répétée et entêtée, qui n'aurait jamais dû se produire ; il était innocent et la chose était visible *prima facie* dès l'accusation. Homme calme, modéré et réservé, il ne mena pas de polémique lui-même. Il croyait naïvement en la justice ultime de la République. Lors de sa réhabilitation finale de 1906, quand on lui décerna la Légion d'honneur, à ceux qui criaient « Vive Dreyfus ! », il répondit : « Non, Messieurs : Vive la France ! »

Mais revenons sur la première condamnation de 1894. En quatre années, le dossier de cette cause va déborder les cadres de l'armée et, par les voies de la presse, engendrer de violentes controverses de justice politique sur la citoyenneté, sur le caractère inaliénable ou non des droits de l'homme, sur le bon usage de la raison d'État, sur la nation-patrie contre la nation démocratique, sur la place primordiale de la religion catholique romaine dans les institutions publiques, etc. Ces polémiques passionnées, souvent haineuses et appuyées d'émeutes antisémites, vont interroger les assises mêmes de la culture française qui s'en trouveront irréversiblement modifiées. Qu'on la comprenne comme tournant de siècle, douloureux passage d'une génération à une autre, indigestion des idéaux révolutionnaires de 1789 et de 1848, rupture au profit d'une modernisation refusée par des segments entiers de l'élite, l'« Affaire » s'explique entièrement et sans reste par des facteurs étrangers à la personne et aux actes d'Alfred Dreyfus. La société française s'est trouvée durablement divisée en deux camps : d'une part, les dreyfusards refusant la condamnation d'un innocent faite au nom de la raison d'État et, d'autre part, les antidreyfusards défenseurs de l'honneur de l'armée contre un individu qui n'aurait, selon eux, jamais dû être admis à l'état-major, ni même au rang d'officier, parce que juif.

On vit alors que les intellectuels ne s'alignèrent pas seulement sur les clivages sociopolitiques établis mais que nombre d'entre eux produisirent divers discours critiques en développant des critères nouveaux, sur des convictions éthiques individuelles, donnant lieu à des « conversions » spectaculaires (Jean Jaurès, Georges Clemenceau, Léon Blum et d'autres), à la formation de mouvements d'opinion et de groupes de pression, à des conflits intra-familiaux et à des suicides. L'école républicaine, gratuite, laïque et obligatoire depuis 1884 donnait des lecteurs aux journaux : c'était la première fois qu'un scandale atteignait tout le monde et sur tout le territoire national. Cela fut vécu comme une grande dramaturgie. Du point de vue juridique, les partisans de Dreyfus ont finalement gagné en obtenant que les accusations fussent annulées, que Dreyfus fût réintégré dans son statut et dans son rang avec avancement. Dans l'opinion, toutefois, il en allait autrement. Le discours perdant, interdit et honteux, conjuré par les institutions mais non invalidé pour lui-même, devint souterrain mais non pas inopérant. On sait qu'il réapparut pour appuyer la montée des fascismes européens entre 1925 et 1945. Lorsque Charles Maurras fut déchu de la citoyenneté française à la fin de son procès, en 1945, il s'exclama : « C'est la revanche de Dreyfus ! »

Contexte

On se contentera ici de brefs repères. L'horizon de toute cette crise, c'est la défaite honteuse et coûteuse (cinq milliards de francs de dommages de guerre) de l'armée du Second Empire en 1870 devant l'empire allemand auquel elle avait déclaré la guerre. Strasbourg capitule, l'empereur se rend à l'ennemi à Sedan, Bourbaki se réfugie en Suisse, enfin Bazaine ouvre Metz aux Allemands sans combattre. L'Alsace-Moselle a été annexée par l'empire allemand. Il faut expliquer comment l'honneur de l'armée a été perdu à la face du monde. Cette armée de tradition est dirigée par des aristocrates monarchistes issus de Saint-Cyr qui n'aiment pas les jeunes officiers « modernes » et bourgeois issus de Polytechnique, comme Dreyfus. Les segments bonapartistes ont raté un coup d'État qui aurait placé le général Georges Boulanger (un des seuls héros de 1870), donc l'armée, au pouvoir en 1888. Double ressentiment. Cette élite professe un nationalisme du sang et de la terre. Elle maintient l'alliance historique avec l'Église romaine, en l'occurrence, celle de Pie IX, qui ne reconnaît que la monarchie et a défini dans le *Syllabus* les fautes du temps : suffrage (même censitaire), république, démocratie, syndicat, etc. Notons au passage que c'est là le discours de Mgr Bourget dans le diocèse de Montréal, lequel avait condamné l'Institut canadien.

Bref, dans la Troisième République, l'armée n'est pas républicaine. Elle n'accepte pas les articles fondamentaux du code civil napoléonien sur l'émancipation des juifs, désormais reconnus comme citoyens au même titre que tous les autres et donc admissibles dans l'armée et dans les grandes écoles militaires.

Voilà la source de l'affaire Dreyfus : une conception « gallo-catholique » de la nation où protestants, francs-maçons et juifs sont des ennemis de l'intérieur. L'idéologie du complot de l'intérieur est la réponse de l'armée déshonorée, de la droite et de l'extrême droite : contre les étrangers suspects, contre le « cosmopolitisme », contre l'universalité des droits de l'homme. On cherche les espions et on en trouve, de vrais et de faux. Cette donnée de l'affaire Dreyfus nous renvoie aux dangers de la fermeture sur un nationalisme mécanique qui ne viserait que la reproduction de « notre maître, le passé ».

La séquence des événements

On peut résumer l'Affaire en cinq actes dont certains moments semblent sortis d'un livret d'opérette pendant que l'ensemble prend une envergure nationale tragique.

1. Accusé d'être l'auteur d'une lettre (« le bordereau »), trouvée par le Service du renseignement militaire français dans la corbeille à papier de l'attaché militaire allemand à Paris Max von Schwartzkoppen, le capitaine Alfred Dreyfus, vingt-cinq ans, affecté à l'état-major, est arrêté le 15 octobre 1894, à son bureau du ministère de la Guerre. Le procureur militaire, le commandant Armand du Paty de Clam, ancien élève de Saint-Cyr, a commencé son enquête en déclarant la culpabilité de Dreyfus. Le bordereau en cause est une page manuscrite annonçant la livraison de documents militaires français, sans description précise. Dreyfus nie tout rapport avec le bordereau. Du Paty de Clam remet alors à l'inculpé une arme que Dreyfus refuse, n'ayant pas l'intention de se suicider car il entend établir son innocence, dit-il.

L'arrestation est révélée au grand public le 29 octobre par le journal *La Libre Parole,* dirigé par Édouard Drumont, l'auteur de *La France juive* lui-même.

Dreyfus est jugé à huis clos par un conseil de guerre de sept juges qui a reçu un dossier de pièces à charge transmis par du Paty de Clam à l'insu de la défense. L'esprit de corps prévalut. Le 22 décembre, sans que les documents produits en preuve aient été expertisés comme l'exige la loi, l'accusé fut unanimement condamné à la dégradation et à la déportation à perpétuité en Guyane pour haute trahison. La dégradation militaire solennelle et publique, avec bris du sabre, eut lieu le 5 janvier 1895. Dreyfus déclara son innocence et partit pour le bagne de l'île du Diable où il fut mis aux fers et coupé de toute information jusqu'au 9 juin 1899.

2. Le chef de bataillon (et bientôt commandant) Georges Picquart prend alors la direction du Service du renseignement et tout change. Sentant que le jugement avait été dicté de l'extérieur, il décide de vérifier les faits et de suspendre son jugement jusqu'à la rencontre d'éventuelles preuves contre Dreyfus. Sur réception d'une pièce compromettante de la main de Ferdinand Walsin Esterhazy, il fait lui-même la preuve que ce dernier est l'auteur véritable du bordereau. Le 1er septembre 1896, il en avise ses supérieurs et leur fait savoir que le « dossier secret » était illégal et ne contenait aucune preuve. Ce démenti crée une tension entre des éléments de l'armée et le Conseil de guerre. Transgressant les règles du secret, Picquart informe le vice-président du Sénat, Auguste Scheurer-Kestner, des faits et le convainc de l'innocence du condamné. À son tour, ce dernier convainc Georges Clemenceau qu'il y a de bonnes raisons de procéder à une révision. Mais l'état-major appuyé par la présidence de la République oppose le principe de la chose jugée : *Res judicata pro veritate habetur*.

Deux lignes de résistance s'organisent alors séparément pour demander la révision de la condamnation de Dreyfus : l'une, privée, menée par Mathieu Dreyfus (frère d'Alfred) et Lucie Lévy-Dreyfus (femme du condamné) qui invoque la violation des règles du droit (dossier secret) et dénoncent Esterhazy, rendant une enquête nécessaire ; l'autre, civique et politique, en appelle à la vérité et à la justice, s'adressant avec émotion aux autorités et à la nation dans les pages de la presse antimonarchiste, anticléricale ou simplement républicaine. Ce dernier groupe parle à partir d'une expérience de honte et de scandale, voyant qu'on a sacrifié un homme à la raison d'État. Ce sont les « intellectuels », mot que leurs ennemis avaient voulu péjoratif et qui va devenir glorieux. Quelques dates :

— 5 novembre 1897 : Gabriel Monod dénonce l'erreur judiciaire dans *Le Temps* ;

— 6 novembre, l'avocat Bernard Lazare publie à Bruxelles *Une erreur judiciaire. La vérité sur l'affaire Dreyfus* ;

— 25 novembre : le premier texte pro-Dreyfus signé Émile Zola paraît dans *Le Figaro* ;

— 13 janvier 1898 : Zola signe son fameux « J'accuse… » en première page de *L'Aurore* dirigé par son ami Georges Clemenceau qui choisit le titre. L'interpellation s'adresse au président Félix Faure, connu pour son opposition à la révision de la sentence de Dreyfus. Des émeutes antisémites surgissent dans une vingtaine de villes de France. Maurras écrit à Barrès : « Le parti de Dreyfus mériterait qu'on le fusillât tout entier comme insurgé. »

Il faut noter l'importance décisive du cadre de cette crise : la diffusion de ces textes vindicatifs et dénonciateurs, violents des deux côtés, suppose l'existence effective d'une liberté de parole et de presse quasi totale, dans une France très largement antidreyfusarde. On voit que les défenseurs de Dreyfus construisent un véritable fait social en l'absence du condamné et sans le connaître personnellement. Ils ne défendent pas tant quelqu'un qu'un principe de justice : un État qui a besoin de sacrifier les individus pour sa survie ne mérite pas de place dans l'histoire. Ils finiront par obtenir gain de cause parce qu'ils ont pu écrire, parler, imprimer, inquiéter, menacer.

3. Quelques mots sur cet Esterhazy de service. Il est déjà âgé, ayant servi dans le contre-espionnage dès après la guerre de 1870. Il connaît le faussaire Hubert Henry, qui a monté le dossier contre Dreyfus. C'est un vieux beau, qui multiplie les aventures troubles et les dettes envers ses maîtresses. Il est en permanence à la recherche d'argent, ce qui fournira à l'enquête de Picquart le mobile absent du cas Dreyfus. Esterhazy va se faire prendre au piège tendu par Mathieu Dreyfus, qui avait fait afficher des photos du fameux bordereau du Conseil de guerre cherchant à identifier l'écriture du document. Deux personnes vont la reconnaître : d'abord le banquier Castro, qui identifie formellement l'écriture de son créancier Ferdinand Walsin Esterhazy, et ensuite une ancienne maîtresse et créancière elle aussi, Mme de Boulancy, qui envoie au *Figaro* des lettres anciennes où Esterhazy exprimait sous sa signature de forts sentiments antifrançais. La « Lettre du uhlan » est demeurée célèbre. Dans l'opinion publique, le crédit d'Esterhazy est atteint par le ridicule.

Néanmoins, le 11 janvier 1898, Esterhazy est acquitté de trahison à l'unanimité devant un conseil de guerre qu'il avait réclamé pour se blanchir. L'armée ne veut pas réviser la condamnation de Dreyfus et c'est elle qui en décide, comme tous les citoyens peuvent le voir. *L'Éclair, L'Intransigeant, La Patrie, Le Petit Journal, L'Autorité, Le Temps, La Cocarde, La Libre Parole* et les autres journaux monarchistes, nationalistes, catholiques et/ou antisémites, « judéophobes », xénophobes, répandent les rumeurs de complots juifs et allèguent que Zola soutiendrait son compagnon Dreyfus parce que, italien, il ne saurait non plus comprendre la France éternelle… L'un des quotidiens les plus orduriers et violents est *La Croix*, propriété des assomptionnistes, qui se décrivait dès 1890 comme « le journal catholique le plus anti-juif de France » et qui se déchaîna contre les juifs pendant l'affaire Dreyfus. Le jeune Charles Péguy et ses amis font figure de marginaux catholiques égarés quand ils se rangent avec les dreyfusards.

Le général Billot porte plainte contre Zola qui a écrit dans « J'accuse… » que le Conseil de guerre a reçu de haut l'ordre de condamner Dreyfus. En février 1898, à l'issue de son procès civil (donc public, celui-là), Zola est condamné pour diffamation à la peine maximale : un an de prison et trois mille francs d'amende. Ses photos d'identité judiciaire nous rappellent pour toujours jusqu'où va la responsabilité personnelle de chacun de nous devant l'injustice. Après avoir été cassé en appel pour vice de forme, le procès contre Zola reprend et réitère la condamnation maximale de première instance. Entre-temps, Zola s'est exilé en Angleterre pendant un an pour éviter la prison. C'est un auteur très célèbre dont les romans décrivant une France ouvrière et populaire sont alors lus dans plus de quarante pays. Chacun sait qu'à l'instar de Voltaire dans l'affaire Calas, Zola n'attend aucun bénéfice personnel de cette cause. Il jouit d'un grand crédit. Il semble donc que les honnêtes gens soient obligés de fuir leur pays.

De l'autre côté, on trouve de plus en plus d'intervenants qui invoquent le « nationalisme organique » comme Maurice Barrès, de tradition étroite et historique, ou le « nationalisme intégral » comme Charles Maurras, qui rejette hors de la nation les étrangers, les francs-maçons, les protestants et la plupart des juifs, faisant exception pour des juifs patriotes. L'un et l'autre professent que, *même innocent*, Alfred Dreyfus doit être sacrifié à l'honneur de l'État. Après 1902 et l'élection des gauches, il ne sera plus possible de soutenir cela dans l'espace politique jusqu'à la montée des fascismes européens. En attendant, le vent tourne.

Le 10 août 1898, Jean Jaurès commence à publier une série d'articles pro-Dreyfus exposant « Les preuves » dans *La Petite République.* Les arguments sont clairs, modernes, et reconnaissent l'inviolabilité des droits du citoyen. On perçoit que la France de tradition, de hiérarchie et d'autorité qui est celle des antidreyfusards demeure figée au dix-neuvième siècle tandis que les dreyfusards s'alignent sur le siècle naissant. Une partie de l'opinion publique perd peu à peu confiance dans les autorités militaires et judiciaires. La légitimité commence à basculer aux yeux des partis de gauche, des républicains du centre et dans l'esprit de plusieurs ministres et sénateurs. Même Léon XIII admoneste les assomptionnistes tandis que le président Waldeck-Rousseau dissout leur congrégation et vend leur journal. On comprend que l'Église romaine s'est si largement déconsidérée pendant l'affaire Dreyfus que Combes et Waldeck-Rousseau pourront imposer les lois de séparation des Églises et de l'État (1904-1905).

4. Pour l'heure, le public voit avec suspicion que le colonel Picquart est évincé de la direction du Renseignement, écarté en Tunisie, puis réformé et enfin emprisonné. Son remplaçant est le commandant Hubert Henry, témoin à charge au procès de 1894, qui a secrètement fabriqué plusieurs faux pour faire condamner Dreyfus. Le capitaine Cuignet fait la preuve d'une des fabrications d'Henry, lequel passe aux aveux en présence du ministre de la Guerre, est arrêté et emprisonné au Mont-Valérien, où il se suicide. Les crimes de faux ne peuvent désormais plus être ni cachés ni écartés. Cette armée-là commence à se déshonorer. *La Croix* fait exception, voyant chez Henry un acte de zèle stupide qui n'empêche pas la culpabilité de Dreyfus…

Le 24 avril 1899, après la mort de Félix Faure, commencent les auditions de la cour de cassation (formée des chambres réunies) révisant le Conseil de guerre qui avait condamné Dreyfus. Les audiences ont lieu devant une cour civile et sont rapportées par *Le Figaro*. Choc : on établit l'invalidité des documents de l'accusation et l'ancien procureur du Paty de Clam est arrêté. Le 3 juin 1899, la cour de cassation annule le jugement de 1894 et renvoie Alfred Dreyfus devant un nouveau conseil de guerre. Le colonel Picquart est exonéré. Esterhazy reconnaît être l'auteur du bordereau et affirme avoir forgé les pièces sur ordre de ses chefs.

Mais on aurait tort de croire que l'innocence de la victime allait être avérée. Comme le pense Hegel, une idée n'est jamais écartée avant d'avoir été remplacée. Les mêmes procédures reprirent au Conseil de guerre où Dreyfus, arrivé de Guyane dans un état de grande faiblesse et sans être informé de son dossier ni des appuis reçus, fut mal défendu par deux avocats en désaccord sur la stratégie. À l'issue de ce conseil de guerre tenu à Rennes du 7 août au 9 septembre 1899, il fut condamné, avec circonstances atténuantes, à dix ans de bagne. Cette fois, le président de la République Émile Loubet le gracie, ce qui ne le disculpe pas. Plusieurs de ses défenseurs sont déçus de cette soumission sans victoire judiciaire. Ils ont raison : en décembre, le gouvernement dépose une loi d'amnistie qui éteint les poursuites contre les responsables de l'affaire. Tout pourrait s'arrêter là.

5. Émile Zola meurt brusquement le 29 septembre 1902. Anatole France fait son éloge funèbre en présence d'Alfred Dreyfus, insistant sur son rôle héroïque dans la défense de ce dernier : « Envions-le : il a honoré sa patrie et le monde par une œuvre immense et un grand acte. » L'intérêt pour l'affaire se ravive. La nouvelle Ligue des droits de l'homme et du citoyen encourage cette phase finale.

Jaurès soumet une seconde demande de révision en avril 1903, invoquant des faits nouveaux, tels la démonstration de la falsification de plusieurs documents à charge, la certitude de l'écriture d'Esterhazy sur le fameux bordereau, etc. Le nouveau gouvernement de gauche est disposé à trancher l'affaire. Sous l'autorité du capitaine Targe, une minutieuse enquête commence qui durera deux ans. Documenté par des perquisitions au Service de renseignement et par plusieurs témoignages directs, le dossier se conclut le 12 juillet 1906 par une cassation définitive sans renvoi : la cour, toutes chambres réunies, déclare les charges initiales inexistantes et la condamnation annulée comme ayant été prononcée « par erreur et à tort ». Le lendemain, Dreyfus et Picquart sont réintégrés dans l'armée avec le grade qu'ils auraient eu dans la poursuite d'une carrière ordinaire, soit chef d'escadron pour Dreyfus, qui participera à la première guerre mondiale.

Mais pourquoi faut-il méditer sur cette crise ?

Pour nous qui observons l'affaire depuis 2012, le jeune capitaine Dreyfus se trompait, comme Aristote avant lui : la meilleure constitution ne fait pas à elle seule la meilleure société. Les libertés ne sont pas le simple produit transitif des lois. Les lois justes ne font que permettre que les libertés se cherchent, se nomment, s'expriment, se défendent. Il faut des citoyens pour penser et lutter dans la République. Évidemment, il n'y aurait pas eu d'affaire Dreyfus si la peine de mort pour trahison en temps de paix n'avait pas été abolie en 1848. Mais il n'y aurait pas eu cette secousse interrogeant la justice et la rétablissant sans l'engagement politique d'Émile Zola. Ce qui fut défait ici, c'est surtout l'idée pauvre de la société comme ordre alors que toute société vivante est un débat.

Danièle Letocha a enseigné la philosophie à l'université d'Ottawa de 1981 à 2001. Elle a publié une soixantaine d'essais, d'articles et d'études sur la Renaissance européenne et sur l'anthropologie culturelle contemporaine.

Les Anciens : un voyage extrême à la découverte de notre humanité

Daniel Tanguay

Nous avons choisi de remplir nos ruches de miel et de cire, offrant ainsi à l'humanité les deux choses les plus nobles qui soient, qui sont la douceur et la lumière.

Jonathan Swift,
Récit de la bataille entre les livres anciens et modernes

Il fut un temps où tout homme ou toute femme cultivés se devaient de manifester une bonne connaissance des Anciens, c'est-à-dire de la littérature grecque et latine. Ce temps n'est pas si éloigné et je me souviens que mon père nous impressionnait grandement lorsqu'au moment opportun il sortait une maxime ou un proverbe dans une langue à la sonorité rugueuse et étrange. Je me suis rendu compte plus tard que l'on pouvait retrouver la plupart de ces sentences latines dans les pages roses du Petit Larousse. Vérification faite, elles s'y trouvent fort heureusement toujours.

Nous savions que mon père avait appris le latin et un peu de grec au collège de Lévis pendant les longues années qu'il avait passées là-bas comme pensionnaire. Il tirait une fierté tout à fait légitime de la solide éducation classique qui lui avait été transmise par les bons pères, même s'il laissait entendre qu'il n'avait pas été toujours heureux dans les longs couloirs au parquet trop bien ciré de son *alma mater*. Mon père n'avait certes pas un tempérament littéraire, mais il avait conservé de ses années de collège un amour pour les belles choses et les belles actions. Il ne dédaignait pas les manifestations de la culture populaire, mais il ne les confondait jamais avec les œuvres classiques qu'il n'avait pourtant jamais relues depuis sa jeunesse. Il nous faisait sentir qu'il y avait une mystérieuse hiérarchie dans les œuvres humaines et que les plus élevées sur cette échelle ouvraient sur un autre monde. La culture classique demeurait vivante en lui par cette pratique du jugement de goût et aussi par son comportement et son maintien. Ennemi tant du snobisme que de la vulgarité, il manifestait ce que les Romains appelaient la *gravitas* pour signifier une attitude de ferme retenue et de calme souverain.

Il serait absurde d'affirmer que, toutes ces belles qualités, mon père les avait uniquement acquises en faisant des versions latines ou bien en s'échinant sur de redoutables thèmes grecs. J'aime toutefois croire qu'il avait retenu de sa fréquentation des auteurs anciens dans sa jeunesse une certaine idée de la culture et de la perfection du cœur et l'esprit qui l'inspirait, même à son insu. Dans sa célèbre défense de l'éducation classique intitulée *Culture and Anarchy* (1869), Matthew Arnold, le grand poète et critique littéraire anglais de l'ère victorienne, soulignait avec force que l'idéal de cette éducation consistait justement dans la poursuite d'une telle perfection. Fidèle à la longue tradition humaniste, il soutenait que cette perfection prenait forme dans l'amour pour les choses nobles et belles. Être cultivé, c'est « tendre vers », comme le dit Arnold à la suite de Swift, ce que distillent précieusement les ouvrages des Anciens, *sweetness and light*. On notera le terme *sweetness* difficilement traduisible. Il recouvre à la fois ce qui est harmonieux, mais en même temps suave et doux. La lecture des Anciens devait faire naître en nous une appréciation de ce qui est lumineux, ordonné, délicat et noble.

On voit par là que l'éducation classique ne visait pas que la formation de l'esprit, mais aussi celle de la sensibilité et du caractère. Elle cherchait à engendrer un certain type d'être humain. Elle n'était surtout pas premièrement orientée vers la transformation active du monde. Elle prétendait trouver sa fin en elle-même. Celui qui s'éduque ne s'éduque pas essentiellement pour apprendre une technique ou un faire, mais pour apprendre à être. L'éducation humaniste classique était fidèle en cela à l'idéal ancien, et plus particulièrement grec, qui tendait à dévaloriser toutes les activités qui ne trouvent pas leur fin en elle-même. Selon cet idéal, la culture trouve sa plus haute justification dans la culture de soi-même, dans le fait de chercher à se rapprocher d'un idéal élevé de perfection.

Il va sans dire qu'un tel idéal n'est plus au cœur de l'éducation contemporaine. Du temps d'Arnold et même bien avant lui, il a été contesté par les tenants d'une éducation plus utilitaire et plus sociale qui forme l'idéal moderne de l'éducation. Selon cet idéal, l'émancipation passe par la diffusion d'une culture scientifique et technique qui libère les forces productives et permet l'atteinte du bonheur pour le plus grand nombre possible. Dans cette perspective, l'éducation littéraire humaniste apparaît comme une perte ruineuse de temps — on évoque ici l'apprentissage des langues mortes — ou bien encore, dans le meilleur des cas, comme un ornement certes nécessaire, mais qui doit garder sa place d'ornement. Plus encore, le caractère foncièrement aristocratique de l'idéal de perfection transmis par l'éducation classique est considéré comme incompatible avec l'esprit de la société démocratique moderne. C'est pourquoi il devrait être abandonné au profit d'un idéal plus égalitaire et moins individualiste de l'éducation.

Je n'ai pas besoin de décrire plus longuement ce dernier, que l'on connaît bien au Québec tant dans sa version plus utilitariste que dans sa version démocratique. Ce qui en revanche semble sur le point de se perdre sans possibilité de retour, c'est ce qui nous restait de l'idéal de nos Anciens à nous. J'appelle nos Anciens à nous à la fois tous ceux qui dans le passé ont cherché à promouvoir, dans nos institutions scolaires et plus spécifiquement dans le justement dénommé collège classique, les idéaux de la tradition humaniste et tous ceux qui ont, lors de la Révolution tranquille et après celle-ci, cherché à adapter ces idéaux à de nouvelles réalités sociales et culturelles. Cette adaptation a eu ses excès et ses ratés, mais elle a tout de même réussi à conserver des traces de l'héritage humaniste présentes dans nos institutions. Or, ce sont ces traces précieusement conservées qui peuvent, encore aujourd'hui, permettre à un jeune esprit d'avoir accès aux couches les plus profondes de notre culture. L'ancienne culture classique de nos Anciens renvoie donc à la culture des Anciens tout court. Il y a ici une raison puissante pour un jeune de se faire par lui-même une idée de cette dernière. S'il veut comprendre d'où il vient, il doit retourner aux sources de la culture classique.

Mais quelles sont ces sources et par où devrait-on commencer leur exploration ? C'est une question redoutable, car elle suppose que nous sachions qui sont les Anciens et quelles sont les œuvres classiques de notre civilisation. La réponse à cette question avait pour les générations précédentes une évidence qu'elle ne peut plus avoir pour nous, et ce pour la raison paradoxale de la somme formidable de connaissances qui a été accumulée au cours des derniers siècles au sujet des civilisations grecques et romaines. Jamais au cours de l'histoire de notre civilisation l'accès aux trésors de la culture grecque et latine n'a été aussi aisé, mais jamais aussi notre familiarité avec ceux-ci n'a été si faible. Les références à la mythologie grecque ou à l'histoire romaine sont pour nos contemporains aussi étrangères que les références au panthéon hindou ou à l'histoire de la civilisation chinoise. Ce qui relevait de l'évidence pour toute personne cultivée il y a à peine cinquante ans est devenu aujourd'hui le fait de spécialistes.

Il ne faut pas se laisser décourager par cet état de choses. Il peut même devenir l'aiguillon d'une recherche authentique. Il y avait en effet parfois quelque chose de surfait dans la familiarité d'antan avec les auteurs anciens. On croyait trop facilement savoir pourquoi ils étaient des classiques et on ne pouvait dès lors plus se laisser vraiment surprendre par eux. Or, les auteurs anciens sont classiques, parce qu'ils possèdent justement au plus haut point le don de nous surprendre. Nous pensons en avoir fait le tour et les connaître et ils nous étonnent encore. Ils sont l'occasion de lectures toujours renouvelées qui ne semblent pas pouvoir épuiser le mystère qu'ils recèlent.

J'oserais même dire qu'ils offrent le vrai dépaysement que la jeunesse contemporaine cherche désespérément dans l'exploration d'un monde devenu de plus en plus uniforme. La lecture d'un Homère ou d'un Virgile nous fait découvrir un monde merveilleux peuplé de héros et de dieux inconnus, où la nature se déploie dans toute sa beauté première et où le cœur et les passions humaines se révèlent dans leur nudité originelle.

S'embarquer en compagnie d'Ulysse ou d'Énée sur de frêles esquifs est peut-être la dernière possibilité que nous ayons de faire un voyage authentique à la découverte de notre humanité inconnue. Il ne faut pas en effet s'y tromper : lire les Anciens est certes une manière radicale de se dépayser, de s'éloigner d'un présent parfois étouffant par son agressive omniscience, mais c'est aussi une manière de se retrouver et de reconquérir une forme plus humaine de notre être. Par-delà toutes ses différences et ses singularités, l'humanité ancienne n'est pas si éloignée de notre humanité moderne. Elle est pour l'essentiel la même et c'est pourquoi la longue tradition de l'éducation humaniste a toujours prétendu que la lecture des Anciens était une voie privilégiée pour découvrir la nature humaine, pour devenir, par la lecture des poètes, des historiens et des philosophes, plus humain.

Il y avait quelque chose d'un peu accidentel et d'arbitraire dans ce privilège accordé jusqu'à il y a peu dans notre civilisation aux anciens Grecs et aux anciens Romains d'être les précepteurs de l'humanité. Dans les derniers siècles, une plus grande conscience du caractère contingent de notre histoire ainsi que la rencontre et une meilleure connaissance des autres civilisations et cultures ont entraîné une remise en question du rôle d'éducateur joué par les auteurs anciens. Nous avons découvert d'autres manières d'explorer les facettes de notre humanité et nous avons élargi grandement le spectre de notre connaissance de la diversité humaine. On pourrait montrer qu'ainsi notre civilisation a prolongé l'impulsion donnée par les anciens Grecs et Romains qui furent, chacun à leur manière, de grands explorateurs du vaste monde, mais là n'est pas le nœud de la question. La question redoutable est en effet celle-ci : pouvons-nous encore aujourd'hui prendre les anciens Grecs et les anciens Romains comme nos précepteurs en humanité ?

Je n'ai pas de réponse claire à cette question et je dirais que, pour ma part, elle demeure ouverte et peut-être même qu'elle ne peut plus trouver de réponse définitive. La seule manière satisfaisante d'y répondre est d'aller y voir par et pour soi-même, c'est-à-dire de lire les auteurs anciens sans prévention. Il existe de bonnes et commodes traductions de tous les grands classiques de la littérature grecque et latine. Je conseillerais tout d'abord une lecture solitaire et puis une lecture partagée avec un cercle d'amis. Je n'ai pour ma part appris à vraiment lire les Anciens qu'en partageant avec d'autres les impressions et les idées qu'avait suscitées ma lecture. Au centre de l'éducation humaniste, il y a d'ailleurs cette idée que ce qui nous rend pleinement humains, c'est le partage avec d'autres des choses belles, bonnes et vraies. La conversation entre amis autour des œuvres vient nourrir notre conversation intime avec les auteurs anciens.

Par où commencer? Que lire en premier? Adolescent, je me faisais de fantastiques programmes de lecture que je ne respectais jamais. Je ne puis donc résister ici à la tentation de proposer un tel programme. Il correspond à mes propres goûts et il n'est ni complet ni exhaustif. Pour les Grecs, je commencerais tout simplement par le commencement : Homère, tout d'abord l'*Iliade* et ensuite l'*Odyssée.* Ce sont deux aventures extraordinaires et deux sommets inégalés de la littérature grecque. Homère fut l'éducateur des Grecs. Pour les comprendre, il faut ressentir la colère d'Achille et apprécier les ruses d'Ulysse. Je passerais ensuite aux historiens, Hérodote et Thucydide. Dans ses *Histoires,* Hérodote donne un très bon exemple de la curiosité inépuisable des Grecs. L'*Histoire de la guerre du Péloponnèse* de Thucydide est quant à elle une véritable tragédie historique et un exemple extraordinaire d'application d'un esprit analytique à l'examen d'événements historiques troubles. Mon embarras est plus grand quand il s'agit des tragiques grecs (Eschyle, Sophocle et Euripide). Pour saisir l'esprit tragique dans son caractère brut et originel, l'*Orestie* d'Eschyle est tout indiquée, même si l'œuvre est déconcertante par bien des aspects pour un lecteur moderne. Sophocle prête des accents plus humains au dilemme tragique des héros dans les pièces comme *Antigone* ou encore *Œdipe à Colone.* Pour la comédie, le choix est plus simple : Aristophane, maître incontesté du genre, a laissé plusieurs chefs-d'œuvre dont les *Nuées* et *Lysistrata.* Pour ce qui est de la philosophie, les jeunes lecteurs sont probablement plus familiers avec des œuvres qui sont toujours lues dans les cégeps : l'*Apologie de Socrate,* le *Phédon* ou bien encore la *République* de Platon. À ces excellents textes, on pourrait joindre d'autres dialogues platoniciens — *Phèdre,* le *Banquet, Ménon* — ou encore les *Mémorables* de Xénophon, qui offrent un portrait de Socrate différent de celui de Platon. Une bonne porte d'entrée dans l'œuvre immense de l'autre grand pilier de la philosophie grecque, Aristote, demeure l'*Éthique à Nicomaque.*

On n'enseigne plus guère les auteurs latins et c'est dommage. Ils ont été pendant des siècles, peut-être plus même que les Grecs, leurs maîtres, les éducateurs de notre civilisation. Je pense ici en particulier à Cicéron, Horace et Virgile. Si Cicéron fut connu et apprécié avant tout pour ses œuvres oratoires, il est plus aisé pour un lecteur contemporain d'aborder son œuvre par son versant philosophique. Je retiendrais ici plus particulièrement deux beaux traités : *De Finibus* (*Des termes extrêmes des biens et des maux*) et *De Officiis* (*Des devoirs*). C'est avec plaisir et avec profit, j'en suis sûr, que l'on lira et que l'on relira les *Satires* et les *Épîtres* du poète Horace. Il enseigne à travers ses peintures subtiles et souvent drôles de la vie romaine une sagesse aimable qui vient adoucir la vertu sévère des Romains. Et il y a l'*Énéide* de Virgile, épopée admirable qui ne souffre pas trop de la comparaison avec l'épopée homérique, même si elle se donne moins facilement à nous que cette dernière. Le lecteur sera toutefois récompensé de ses efforts et il doit se souvenir que c'est Virgile, dans la *Divine Comédie,* qui guide Dante hors de l'Enfer.

D'autres auteurs auraient pleinement mérité de figurer dans ce programme de lecture. J'invite les jeunes lecteurs à n'écouter que leur fantaisie et à aller flâner dans la section PA de toute bonne bibliothèque universitaire. Ils y trouveront de nombreuses ruches de miel et de cire qui sauront rassasier les palais le plus exigeants en fait de douceur. Ils se rendront alors peut-être compte que la véritable jeunesse de l'esprit ne se trouve pas là où on l'imagine.

*Daniel Tanguay est professeur de philosophie à l'université d'Ottawa. Il a fait partie de l'équipe des fondateurs d'*Argument.

J. S. Bach, dans le passé et dans le présent

Dujka Smoje

C'était en mars 1829. Dans la salle comble de l'Académie de musique de Berlin, Felix Mendelssohn dirigeait une œuvre oubliée : la *Passion selon saint Matthieu* de J. S. Bach. Exactement cent ans après la première, en 1729, en l'église de Saint-Thomas à Leipzig. Après trois générations d'oubli, l'époque romantique reprenait contact avec le Cantor de Leipzig. Depuis, la redécouverte de son œuvre monumentale se poursuit jusqu'à nos jours.

Douze générations nous séparent de la musique de Bach (1685-1750), de l'époque où le compositeur accomplissait sa tâche d'artisan et de fidèle, travaillant au jour le jour. D'après les témoignages de ses contemporains, ses œuvres n'avaient rien d'extraordinaire ; il ne faisait que son métier. Mais pour nous, aujourd'hui, sa musique semble hors du temps ; elle rejoint l'auditeur ici et maintenant, lui apportant une expérience d'émotion musicale intense, chaque fois renouvelée.

Que s'est-il passé au fil des siècles qui a transformé l'accueil fait à la musique de Bach ? Peut-on saisir le secret, trouver le filon insaisissable ? Pourquoi, aujourd'hui, ce musicien représente-t-il une étape obligée dans la culture de tout « honnête homme » ?

Et comment, de nos jours, l'approcher ? Le défi est de taille. Pour un simple amateur, l'architecture monumentale et la poésie qui émane de chaque phrase musicale de Bach suscitent l'admiration devant un génie plus grand que nature. Pour le critique, c'est le sentiment d'être dépassé par la maîtrise absolue du métier de compositeur et une imagination sans limites qui échappe à l'analyse. Quant à l'historien à la recherche des sources de sa musique, il se trouve devant un tissu dense, rassemblant les fils d'écoles nationales : le baroque italien, le rococo français, l'art allemand du passé et de son temps. Pourtant, chaque note est marquée au sceau de la personnalité de Bach.

Bach dans l'histoire

La vie et l'œuvre de Bach suivent le sillage de ses prédécesseurs. Il n'est pas un révolutionnaire, même pas un innovateur. Son langage puise dans la musique des anciens, enrichi par les trouvailles de ses contemporains[1]. Pour lui, les frontières entre styles, cultures, époques n'existent pas. Pourrait-on dire que sa musique porte la marque du multiculturalisme avant le temps? Sans aucun doute. Et pourtant, il n'est pas de musicien plus allemand que Johann Sebastian.

Le secret de son œuvre se trouve d'abord dans l'histoire : Bach a le privilège de vivre à un moment crucial dans l'évolution du langage musical. Sa vie s'inscrit à la croisée des chemins de deux forces qui modèlent la musique : la polyphonie modale et l'harmonie tonale. Autrement dit, la pensée linéaire et la pensée verticale se trouvent en convergence : la première, horizontale, fondée sur l'indépendance des voix, qui a dominé la musique depuis les débuts de la polyphonie (neuvième siècle), et la seconde, l'énergie verticale des accords, qui façonne le langage tonal à venir.

1. Parmi les maîtres dont il a étudié et copié les partitions, voici quelques noms : Palestrina, le génie de la Renaissance italienne (seizième siècle) de qui Bach apprend la polyphonie; Grigny, Marchand, d'Anglebert, Couperin, clavecinistes français, qui lui transmettent les « agréments » des notes chiffonnées, le charme des suites de danses et autres galanteries en musique; les Italiens Frescobaldi, Corelli, Vivaldi, dont il a transcrit d'innombrables concertos et qui inspirent ses lignes mélodiques lumineuses, lyriques ou pétillantes. Ses compatriotes, les Allemands Schütz, Reineken, Böhm, Buxtehude, Pachelbel, sont ses maîtres d'orgue. Leur héritage se reconnaît dans la sonorité somptueuse, les contrastes dynamiques, l'improvisation virtuose et les formes monumentales des *Préludes* et *Fugues*.

La musique de Bach est construite sur la synthèse de ces deux forces, en équilibre entre le passé et l'avenir, au sommet du style baroque. Le compositeur dispose d'un langage et d'outils déjà développés, il hérite de formes achevées[2]. Il peut bâtir sur un terrain fertile, où son imagination s'épanouit en toute liberté. L'ensemble de son œuvre, vocale et instrumentale, porte la marque de cette position unique dans l'histoire musicale.

D'autre part, Bach a fondé sa création sur une conception personnelle de la musique, en accord avec son milieu et sa culture. L'Allemagne protestante au temps de Bach est un pays de musique et de musiciens. Présente partout, à tous les niveaux de la vie sociale, familiale et religieuse, la musique est un moyen d'éducation, elle est prière, source de sagesse et de partage. Le métier de musicien n'est pas celui d'un artiste dans le sens moderne de ce terme, mais celui d'un artisan aux nombreuses tâches, au service de sa communauté, de l'église, des municipalités et des cours princières. Les titres officiels de Bach le reflètent : *Kapellmeister* (maître de chapelle), *Hofforganist* (organiste de cour), cantor, *Director musices* (directeur musical). Ces fonctions, Bach les a toutes parcourues, entre Arnstadt, Mühlhausen, Weimar, Coethen et Leipzig.

Mais au-delà de la prose du travail quotidien, le musicien est guidé par une idée-force, empruntée à la Bible, qui l'accompagne toute sa vie : « Tu as tout réglé par le nombre, le poids et la mesure » (*Livre de sagesse*, 11, 21). En effet, la musique est pour Bach avant tout le reflet sonore de l'ordre du monde, à l'image de la Création, qui rend perceptible la présence divine. Il ne s'agit pas d'une abstraction théologique : Bach l'applique dans l'architecture de ses œuvres, réunissant clarté formelle et puissante structure, fondée sur des proportions, nombres et symboles numériques[3]. Faut-il y voir un héritage des pythagoriciens ?

2. Entre autres, cantate, passion, choral, fugue, *concerto grosso*, y compris tous les moyens d'expression dramatique en musique inventés par l'opéra.

3. Voir en particulier *L'offrande musicale* et *L'art de la fugue*.

Le métier de musicien

Le compositeur est aussi interprète, virtuose, pédagogue et facteur d'orgues : un connaisseur de la matière sonore dans tous ses états. C'est ainsi qu'il gagne la vie de sa nombreuse famille, vivant au milieu d'une maisonnée pleine d'enfants et de disciples, où tout le monde fait de la musique. À travers son itinéraire professionnel, on peut suivre le parcours du musicien ; chaque étape lui offre la chance de faire s'épanouir un talent nouveau. D'abord jeune organiste à Arnstadt et Mühlhausen (1703-1708), ensuite à Weimar (1708-1717), Bach maîtrise l'art de l'improvisation, explore les sonorités somptueuses de l'instrument, la puissance expressive et les règles du jeu du choral et de la fugue, et, en prime, apprivoise la facture de l'orgue[4].

À la cour de Coethen (1717-1723), il dispose d'interprètes de haut niveau. Il découvre les maîtres italiens, auxquels il emprunte la clarté formelle du concerto et l'art de la mélodie des instruments solistes. L'équilibre entre le style concertant et l'architecture polyphonique allemande, entre les forces verticale et linéaire, atteint son sommet dans les compositions instrumentales de cette période[5].

Dernière étape, Leipzig, où Bach passera vingt-sept ans. À travers les exigences de sa fonction de cantor, s'enchaîne une immense production de chefs-d'œuvre : monumentales Passions, cinq cycles de cantates (trois cents environ), vaste corpus pour orgue[6]. En résonance avec le Verbe qui sous-tend la musique, ses œuvres sont une méditation sur la vie, la souffrance, la mort, la trahison, le sacrifice, l'amitié et l'amour inconditionnels. Nul besoin de comprendre les mots ni d'être croyant ; l'univers de Bach est un univers d'émotions, éveillé par la musique, profondément humain et intensément spirituel.

4. La célèbre *Toccate et fugue* en ré mineur date de cette époque, ainsi que la cantate *Actus tragicus, nº 106*.

5. Suggestions d'écoute d'œuvres de cette période : le *Cinquième concerto brandebourgeois,* la *Troisième suite pour orchestre,* la *Chaconne de la partita nº 2 pour violon solo,* la *Cantate nº 147*.

6. Les passages obligés : *La Passion selon saint Matthieu, Messe en si mineur, Variations Goldberg* et, enfin, *L'offrande musicale* et *l'art de la fugue*.

Il est vrai qu'à Leipzig Bach compose surtout des œuvres religieuses destinées à la liturgie luthérienne. Cependant, on connaît moins bien l'autre facette, profane, de sa musique, dont la plupart des partitions se sont perdues au fil du temps. Ses contemporains mentionnent le répertoire de son *Collegium musicum*, pièces animant concerts et divertissements du célèbre Café Zimmermann, entre autres la *Cantate du café* (n° 211), véritable opéra en miniature, pétillant d'humour et de charme.

Après avoir maîtrisé la matière sonore dans tous ses états, au terme de sa vie, Bach retourne aux sources, vers les anciennes traditions du contrepoint, en quête de l'essentiel : *L'offrande musicale* et *L'art de la fugue* (1747-1750). Ici, le son paraît insaisissable, étranger à la réalité musicale, construisant une architecture de l'esprit autour d'un seul thème. La musique pure, mystérieuse, occulte, audacieuse, au seuil du silence, dont le regard tourné vers le passé préfigure l'avenir. Mathématiques absolues, poésie absolue.

Ainsi, Bach est une fin…

Bach n'a pas d'héritier. Pourtant, il est une présence constante dans la musique du vingtième siècle. Un exemple parmi d'autres : l'école viennoise — Schoenberg, Berg, Webern ; pour ces compositeurs, Bach est une référence dont ils se servent dans leur conquête d'un langage nouveau. La conception même de la musique sérielle, les techniques rigoureuses du contrepoint, et le motif B-A-C-H (*si bémol-la-do-si*) inséré dans les partitions en sont témoins. D'où vient cette parenté d'esprit ? Antidote à la sensibilité romantique ? Nécessité de constructions rigoureuses ? Retour aux racines ?

Quoi qu'il en soit, le « retour à Bach » a marqué les grands compositeurs de notre temps : Busoni, Reger, Ravel, Bartók, Stravinsky, Hindemith, Britten, Chostakovitch, Schnittke, Pärt, entre autres ; ils y ont trouvé une source d'inspiration pour leurs propres œuvres.

En marge de l'héritage musical, mentionnons un signe marquant de la pérennité de Bach : la sonde *Voyager 1* (1977) a emporté dans l'espace, parmi ses messages de l'humanité, l'enregistrement de trois de ses œuvres[7].

Et pour nous, aujourd'hui ?

Cioran, dans un de ses aphorismes, résume Bach en quelques mots : « Si seulement Dieu avait fait notre monde aussi parfait que Bach a fait le sien divin ! » (*Œuvres*, Gallimard, 1995, p. 246). Perfection ? Est-ce la maîtrise absolue du métier de Bach ? Rien de ce qui était musique ne lui était étranger. Passion et raison, fantaisie et rigueur, liberté et improvisation, élan vers l'absolu et humanité dans toutes ses dimensions touchent notre sensibilité. Le miracle que Bach accomplit par sa musique est d'offrir le réconfort, un sentiment de certitude, d'infaillibilité. Il apporte une réponse définitive. Lumière retrouvée, certitude révélée. C'est le bonheur de capter un morceau d'éternité à travers sa musique et de s'y sentir accueilli, chez soi.

Dujka Smoje est musicologue et professeur honoraire à la faculté de musique de l'université de Montréal, où elle a enseigné de 1967 à 2002.

7. *Concerto brandebourgeois nº 2 en fa majeur*, premier mouvement ; *Gavotte en Rondeaux de la Partita nº 3 en mi majeur ; Clavier bien tempéré II, Prélude et fugue en do majeur.*

La Bible, ou l'être humain dans tous ses états

Alain Gignac

La Bible, monument ignoré, vestige du passé, littérature périmée ? Une scène du *Meilleur des mondes*, de Aldous Huxley, pose bien le problème [1]. Le roman met en scène une société anesthésiée, où les citoyens voient tous leurs besoins primaires (sécurité, aliments, sexe, plaisir) comblés, au prix d'être coupés de leurs émotions et privés de la liberté véritable de choisir, de créer et de souffrir. Introduits dans le bureau d'un des « administrateurs » de cet État mondial totalitaire, les héros contestataires aperçoivent un coffre-fort qui contient seulement deux livres — un exemplaire de l'œuvre de Shakespeare et la Bible —, tous deux soustraits à la lecture du commun des mortels par les dictateurs, ces ouvrages étant susceptibles selon eux de provoquer la réflexion et d'alimenter la contestation de l'ordre établi. Pourquoi Huxley a-t-il choisi ces deux livres ? Sont-ils vraiment le fondement ou le symbole de la culture occidentale ? La Bible a-t-elle un pouvoir subversif si grand ? Cependant, omniprésente, la plus vendue des œuvres littéraires est aussi la moins lue — du moins au Québec, qui est peut-être l'une des sociétés les plus sécularisées sur la planète… Le paradoxe est criant : de nos jours, nul besoin de détruire les exemplaires de la Bible et d'en conserver le dernier sous haute surveillance pour en empêcher la lecture ; l'ouvrage n'est pas lu par la plupart des gens. Quel est donc ce livre mystérieux et pourquoi faudrait-il le lire ?

1. Aldous Huxley, *Le meilleur des mondes*, Paris, Plon, 2003 (1932).

L'objet

Le mot « Bible » vient du grec *ta biblia*, qui signifie « Les livres ». L'étymologie indique la nature de l'objet et l'ambition dont il est porteur. D'une part, il s'agit d'une véritable « bibliothèque », marquée par la pluralité des auteurs, des époques de rédaction, des genres littéraires, des points de vue sur Dieu et sur l'humain. D'autre part, la Bible est aussi le texte de référence de deux religions monothéistes, à savoir le judaïsme et le christianisme, qui voient en elle le Livre par excellence. Mais au-delà de son importance « canonique » pour ces religions en particulier, la Bible est devenue, au fil de l'histoire, l'un des classiques de l'Occident et un trésor du patrimoine culturel mondial. Classique, certes, même si, en classe, elle est de moins en moins enseignée…

Les Juifs — écrit avec une majuscule : le terme ne renvoyant pas uniquement à une religion, mais aussi à un peuple, dont l'identité est construite par le texte biblique — nomment leur bibliothèque sacrée « TaNaK », acronyme de Torah (Loi), Neviim (Prophètes) et Ketouvim (Écrits). Selon le judaïsme, la saga biblique atteste qu'Israël est le peuple choisi par Dieu pour témoigner de la justice parmi toutes les nations, et cela sur la terre que Dieu lui a donnée (celle de Canaan) — et ce récit est si prégnant qu'il devient, par-delà la perte de cette terre et l'espérance de la recouvrer, le pays rêvé que chaque Juif transporte avec lui. Les chrétiens font de ces écritures juives leur « Ancien Testament », au sens de premier testament et de fondement, et y adjoignent un « Nouveau Testament », qui n'est pas la suite de l'Ancien mais en constitue la clé de lecture — où le mot « nouveau » signifie « nouveauté surprenante », « renouvellement », car y est décliné « l'événement » Jésus-Christ, qui constitue, aux yeux du christianisme, le point tournant de l'histoire du monde et la confirmation de l'élection d'Israël. Tel est le sens que les croyants, juifs et chrétiens, donnent à la Bible.

Le processus de rédaction de la Bible est formidablement complexe — ce qui se reflète dans l'établissement des composantes même de cette « bibliothèque idéale », puisque la liste des livres intégrés au canon biblique varie selon que l'on est juif, chrétien protestant, chrétien catholique, chrétien orthodoxe. Le processus s'échelonne du huitième siècle avant l'ère commune au premier siècle de celle-ci— soit une période de mille ans environ, si l'on tient compte des traditions orales antécédentes à la mise par écrit — et utilise successivement, comme langue d'écriture, l'hébreu, l'araméen et le grec. Il se poursuit ensuite dans l'aventure incessante des traductions, dans toutes les langues, dont le grec (la Septante), le latin (la Vulgate), l'anglais (la Bible du roi Jacques, la fameuse *King James* des Anglais) et le français (la Bible de Jérusalem, sous la direction des dominicains, ou la traduction du chanoine Osty, ou encore la traduction œcuménique de la Bible[2], pour s'en tenir aux plus connues) jusqu'à aujourd'hui. Dans cette dernière langue, la plus récente, dite *Bible Nouvelle Traduction*[3], a fait le pari de confier chaque livre biblique à un binôme composé d'un exégète, interprète scientifique de la Bible, et d'un écrivain, bien au fait de la langue littéraire actuelle —, et cela indépendamment des convictions personnelles de chacun. Toutes ces traductions ont marqué leur époque et contribué à façonner la langue.

De quoi la Bible parle-t-elle ? Plurielle, la Bible ne se laisse pas réduire à un seul thème, bien qu'on ait essayé avec obstination d'y discerner un fil conducteur : alliance, histoire du salut, ordre de la création, sagesse de l'art de vivre[4]. Toujours, la Bible résiste et refuse de se laisser enfermer dans des cadres trop étroits.

Plurielle, oui, elle laisse entendre des voix nombreuses et souvent contradictoires. Ainsi, deux récits de création se suivent sans s'harmoniser, dans un langage et des visées distincts (Genèse 1 et Genèse 2) ; deux comptes rendus de la royauté ne font pas la même interprétation théologico-politique des règnes (d'une part, 1-2 Samuel et 1-2 Rois ; d'autre part, 1-2 Chroniques) ; quatre évangiles (Matthieu, Marc, Luc, Jean) posent autant de regards contrastés sur Jésus ; des voix s'élèvent pour dire que

2. *La Bible TOB. Traduction œcuménique*, Villiers-le-Bel et Paris, Bibli'O et Cerf, 2010.

3. Frédéric Boyer, Jean-Pierre Prévost *et al.* (dir.), *La Bible. Nouvelle traduction*, Paris et Montréal, Bayard et Médiaspaul, 2001.

4. Leo G. Perdue,, *The Collapse of History : Reconstructing Old Testament Theology*, Minneapolis, Fortress, 1994.

Dieu intervient dans l'histoire (Prophètes), et au moins une autre pour dire qu'il n'intervient pas (Qohélet).

Plurielle, encore, la Bible propose récits mythologiques, récits de fiction et récits quasi historiques, poésie, textes législatifs, correspondance épistolaire, littérature de sagesse, discours prophétiques — qui n'ont en commun que le fait de parler de Dieu dans ses mille et une facettes, et de la relation qu'entretiennent les humains avec ce dernier, et particulièrement de la relation qu'entretiennent avec Dieu un peuple, Israël (pour l'Ancien Testament), et un homme issu de ce peuple, Jésus (Nouveau Testament).

En somme, la Bible n'offre aucun thème unificateur, sinon celui de la vie humaine dans toute sa richesse et ses ambivalences, avec aussi toutes ses turpitudes (vols, trahisons, adultères, viols, conflits familiaux, meurtres, guerres). Car voilà l'originalité biblique : elle est narrative et met en scène des gens ordinaires. Il y a des héros dans la Bible, mais ils ne sont pas héroïques. Il y a un Dieu qui propose une alliance, et des humains qui en disposent. Il ne s'agit pas d'une tragédie grecque : pas de dieux capricieux ou de mortels captifs du destin. Dans la Bible, l'interaction est complexe, qui s'établit entre la nature humaine et l'intentionnalité divine, entre l'ordre du plan divin (tel que perçu par les croyants !) et le désordre des aléas historiques, entre la providence divine et la liberté humaine[5]. Qu'elle soit fiction historicisée ou faits historiques racontés — dans les deux cas, elle est interprétation de la vie humaine —, la Bible donne à voir des femmes et des hommes de chair et de sang, qui luttent, souffrent et aiment, prennent des décisions et les assument, tout cela, bien sûr, sous le regard de Dieu (puisqu'il s'agit de textes religieux). Certaines figures ressortent du lot : Jacob le tricheur, Joseph le visionnaire, David le roi, Job l'éprouvé, Jésus le juste et Paul l'apôtre.

Un mot pour rappeler que depuis l'étude qu'en a faite le philosophe juif Spinoza au dix-septième siècle, la Bible n'est plus uniquement la chasse gardée des théologiens ; elle est aussi un objet d'étude historique et littéraire. Bien auparavant,

5. Robert Alter, *L'art du récit biblique*, vol. 4, *Le Livre et le rouleau*, Bruxelles, Lessius, 1999.

les grands maîtres de la peinture, pour plusieurs soutenus par l'Église, avaient proposé des relectures créatives, voire subversives de la Bible. Mais il faut savoir surtout — ce qu'on ignore souvent, au même titre qu'on ignore la Bible — que, depuis cent cinquante ans, aucun autre texte n'a suscité une telle somme de recherches érudites d'une telle diversité et d'une telle qualité.

Son importance

Pourquoi lire la Bible aujourd'hui, alors que les voies de spiritualité qui la portent sont de plus en plus minoritaires, pour ne pas dire marginales, sinon marginalisées, voire vouées à l'anonymat ? Autrement dit, ceux qui ne croient pas au Dieu biblique devraient-ils lire quand même la Bible ?

De manière prosaïque, il est difficile d'avoir accès aux œuvres d'art occidentales — tout au moins jusqu'au vingtième siècle — sans avoir une connaissance, même anecdotique, de la Bible. Encore à notre époque, un peintre comme Salvador Dali a été fasciné par la figure christique, la chanson *Hallelujah* du montréalais Leonard Cohen est une relecture du Psaume 51, le film *Le huitième jour* du Belge Jaco Van Dormael réécrit le récit biblique de la Création — à travers une histoire d'amitié entre un trisomique et un carriériste paumé. Sur le plan philosophique, la Bible demeure l'une des principales sources d'inspiration de l'Occident — avec la pensée grecque. Des pères de l'Église grecs et latins de l'Antiquité tardive (tels Basile, Jean Chrysostome et Augustin) aux penseurs européens de la (post)modernité (tels Žižek, Badiou, Derrida et Agamben), en passant par les grands intellectuels du Moyen Âge (Maïmonide, Thomas d'Aquin) et les philosophes des Lumières, la Bible a été et est encore un catalyseur de réflexion. Plus encore qu'une source, la Bible pourrait être considérée comme une matrice (parmi d'autres) qui a enfanté la modernité. Ce qu'elle aurait fait de trois manières. D'abord, et un peu superficiellement, elle aurait été un réservoir de métaphores ayant façonné le langage de la littérature[6] et celui

6. Northrop Frye, *Le grand code. La Bible et la littérature*, Paris, Seuil, 1984.

de l'art — la Bible serait alors une sorte de « grand code » qui permettrait de déchiffrer la culture. En outre, dans l'Ancien Testament, les conceptions de l'autonomie humaine face à Dieu, de l'humanité faite à l'image de Dieu et, dans le Nouveau Testament, de l'immanence divine manifestée par l'incarnation du Fils de Dieu ont pu contribuer à engendrer la modernité — marquée par le « désenchantement » du monde (désacralisation) et la formulation des droits humains. Enfin, à travers le discours des prophètes qui osent dire le sens du présent au nom de Dieu, mais surtout à travers le « je » qui s'exprime dans les psaumes et les lettres pauliniennes, émerge une conscience du sujet, debout face à l'absolu, conception étonnamment moderne. Autrement dit, se fait jour là un témoignage qui témoigne non seulement d'un message religieux, mais surtout du surgissement de sujets autonomes[7].

En résumé, impossible de comprendre le passé, ou de saisir d'où nous venons et qui nous sommes, sans fréquenter la Bible et les interprétations multiples, diversifiées et contradictoires, dont elle fut et est encore l'objet.

Par où commencer la visite du monument biblique ? La tâche semble immense. Or, lire la Bible revient à avaler un éléphant : il faut le faire une bouchée à la fois. Bien sûr, on pourrait y aller avec des morceaux d'anthologie : la ligature d'Isaac (aussi appelé le sacrifice d'Abraham), qui est l'énigme de la foi (Genèse 22) ; le passage de la mer Rouge, paradigme de toutes les libérations (Exode 14-15) ; la théophanie expérimentée par Élie sur le mont Horeb (1Rois 19) ; la description des temps messianiques, prototype de toute utopie (Isaïe11) ; le Sermon sur la montagne, qui résume l'enseignement de Jésus et qui accompagna Gandhi sur le chemin de la non-violence (Matthieu 5-7) ; la course au tombeau vide faite par les disciples Pierre et Jean, suivie de l'apparition d'un Jésus pourtant mort à Marie-Madeleine (Jean 20). Ou, comme pour tout bon livre, on voudra lire le premier et le dernier « chapitre » : le commencement (Genèse) et la fin qui lui répond (Apocalypse) — deux livres d'une grande densité anthropologique et qui cherchent à dire l'impossible, l'origine et l'ultime, pour donner un sens à

7. Alain Badiou, *Saint Paul : la fondation de l'universalisme*, Paris, PUF, « Les Essais du Collège international de philosophie », 1998.

l'histoire humaine. Ou encore, on voudra lire les textes terribles de la Bible qui mettent en scène l'oppression des femmes : Agar (Genèse 16 et 21), Tamar (Genèse 38), la fille de Jephté (Juges 11), la concubine anonyme d'un lévite, violée à mort (Juges 19-20). Ces textes sont dénoncés par la théologienne féministe Phyllis Trible[8], comme autant de miroirs de l'exploitation patriarcale inscrite dans la Bible et perpétuée en son nom. Ils sont ensuite réinterprétés par la lecture féministe et vus comme l'occasion d'une prise de conscience, s'ils sont relus en s'attardant à la voix de ces femmes qu'on a voulu censurer.

Pour ma part, je ferais une autre suggestion, inspirée du judaïsme : pourquoi ne pas lire les cinq rouleaux (dans l'excellente traduction du poète et linguiste français Henri Meschonnic[9]) ? Ce sont cinq petits livres chéris par la tradition juive dans son versant ashkénaze (judaïsme originaire d'Europe centrale), au point d'associer chacun de ces rouleaux à une fête religieuse du calendrier hébraïque. Ces livres se lisent rapidement, reflètent la diversité des genres littéraires bibliques et ont la particularité... de peu parler de Dieu ! Il s'agit du Cantique des Cantiques (lu à la Pâque, *Pessa'h*), poème d'amour fortement érotique ; Ruth (lu à la fête des Semaines, *Chavouot*), roman qui insiste sur le fait que l'aïeule du grand David est une étrangère ; Lamentations (lu en ce jour de deuil de la destruction du Temple, *Tisha Beav*), poème acrostiche selon l'alphabet hébreu, à la tristesse poignante ; Qohélet (lu à la fête des Tentes, *Soukkot*), suite d'aphorismes sur la précarité du bonheur ; Esther (lu à *Pourim*), autre roman, aux allures de carnaval, qui déjà met en scène la persécution récurrente du peuple juif. Cinq bijoux qui déconstruisent les idées reçues sur la Bible et qui peuvent encore déstabiliser le lecteur.

Si l'on a pu dire que la contraception était la plus grande révolution anthropologique depuis la découverte du feu, de l'agriculture ou de la roue, il faut redire à quel point la sécularisation actuelle des sociétés occidentales est une révolution culturelle de taille. Révolution culturelle moins violente que celle qui a coupé la Chine du confucianisme, mais rupture

8. Phyllis Trible, *Texts of Terror : Literary-feminist Readings of Biblical Narratives*, Philadelphie, Fortress, 1984.

9. Henri Meschonnic, *Les cinq rouleaux*, Paris, Gallimard, 1986.

malgré tout radicale. Pour la première fois depuis mille cinq cents ans, en Occident, la Bible a cessé d'être un repère culturel. Depuis longtemps, on pouvait vivre sans se référer à la Bible ; maintenant, on peut vivre sans jamais en avoir entendu parler. La Bible, ne serait-ce qu'à titre d'arrière-plan lointain, est « étrangère » à la nouvelle génération du début du troisième millénaire, qui s'en trouve peut-être par là « aliénée », étant ainsi coupée de ses racines. Voilà donc un grand défi qui s'offre à l'éducation : investir temps et énergie pour fréquenter un monument qui ne s'enseigne plus en classe, mais qui avait accompagné jusqu'ici une humanité en quête d'elle-même. Comme toute grande littérature, lire la Bible aide à mesurer le caractère éphémère et fragile de toute existence, individuelle et collective, et à y chercher une cohérence.

Alain Gignac est spécialiste du Nouveau Testament et professeur agrégé à la faculté de théologie et de sciences des religions de l'université de Montréal. À ce titre, il a également participé à la nouvelle traduction de la Bible (Bayard/Médiaspaul, 2001).

Le Canada français, notre passé

Jean-François Laniel

Le passé se laisse difficilement saisir exhaustivement, encore moins essentiellement. L'ambition de le définir n'a d'égale, semble-t-il, que la réticence à en accepter une version définitive.

Il en est ainsi du Canada français et de la nation canadienne-française (1840-1960). Mémoire vivante, le Canada français ne manque pas de se décliner en plusieurs mémoires concurrentes, qu'elles soient générationnelles, politiques ou régionales. À grands traits, on peut dire que, s'il suscite parfois l'empathie, notamment pour sa contribution décisive à l'édification des communautés francophones hors Québec, le Canada français se mérite surtout les critiques les plus variées sur le thème de la « grande noirceur », traditionaliste et obscurantiste. Depuis les années 1990 toutefois, des appels de plus en plus nombreux invitent à nuancer cette lecture univoque du Canada français. On lui reproche d'avoir noirci le trait et d'avoir sacrifié jusqu'au souvenir de l'originalité et de la contribution nationalitaires du Canada français (ainsi que des Canadiens français hors Québec) afin de bâtir le Québec moderne.

Sous peine d'être ignorants, nous nous proposons d'être à l'écoute de l'intention canadienne-française qui sourd jusqu'à nous par-delà « l'éclatement du Canada français » et la provincialisation des identités francophones au tournant de la Révolution tranquille. Loin de constituer uniquement, comme le veut l'expression, un « long hiver de la survivance » ou le lieu de tristes « mythes consolatoires », le Canada français nous apparaît davantage d'un puissant dynamisme, se donnant pour ambitieuse mission de constituer une nation nouvelle, dans la contingence toujours imparfaite où l'histoire l'a placée.

Nous proposons de voir cette édification nationale en deux grands actes, où se créent à la fois une communauté de destin et un espace d'autonomie collective.

Rébellions des Patriotes (1837-1838) et acte d'Union (1840) : l'entrée en scène de l'Église-nation et d'une nation culturelle

Contrairement à ce que l'on pourrait penser, durant la première moitié du dix-neuvième siècle, une « nation » francophone n'est pas encore née en Amérique. S'il existe bel et bien parmi les francophones du Bas-Canada un « sentiment national » et une « conscience politique », ceux-ci ne se sont pas encore constitués en peuple, en sujets de l'Histoire. Il manque encore une définition structurée et partagée de la collectivité, une « référence » nationale (idéologie, historiographie, littérature) [1], comme il s'en construit à la même époque ailleurs en Occident, en ce « siècle des nationalités ». Il manque en outre des institutions d'encadrement social permettant la reproduction et l'épanouissement collectif.

Des deux visions de la nation alors en germe parmi les élites bas-canadiennes, la vision libérale-républicaine de la nation, portée par les Patriotes, sera *de facto* écartée suite à l'échec des rébellions. Leur projet était celui d'une nation souveraine dite politique, se définissant principalement par une démocratisation poussée de la chose publique et la libéralisation de la société. Il participerait d'une volonté de refondation politique radicale, typique des « sociétés du Nouveau Monde », faisant table rase du passé. Pourtant, nonobstant l'échec militaire, ce projet national n'était pas sans poser problème. Il s'accordait mal avec la réalité d'une collectivité conquise, qui trouvait sa différence dans les traditions locales à défendre, nommément le droit civil français, le régime seigneurial et la religion catholique. Comment, en effet, concilier une vision

1. Fernand Dumont, *Genèse de la société québécoise*, Montréal, Boréal, 1993.

de la nation qui veut faire fi des traditions et une autre qui se découvre et s'enracine en elles[2] ?

Ainsi, suite à l'échec des rébellions et à l'union du Haut et du Bas-Canada, c'est plutôt à l'Église catholique que reviendra la tâche de construire une nation francophone[3]. Le désormais Canada-Est bat d'ailleurs au rythme d'un « réveil » religieux de grande ampleur : le sentiment national se trouve en quelque sorte canalisé et investi dans un enthousiasme religieux dynamisant à terme aussi bien la pratique et la dévotion que l'ordination et les effectifs cléricaux, jusqu'à la multiplication des ordres et des œuvres religieux. Ce « renouveau » religieux s'inscrit dans le souffle de la « revitalisation » catholique, liée à la restauration catholique ultramontaine, renforçant la grandeur de l'Église catholique romaine et multipliant prédicateurs, missionnaires et vocations. Récompensée par la couronne britannique pour sa condamnation des insurrections, l'Église catholique obtient notamment le droit de propriété, celui de recruter ses effectifs en Europe et de mettre sur pied la première province ecclésiastique du Canada (1844). Ceci participant de cela, dans un État libéral minimal où la gestion de la société civile est laissée à l'Église et dans le contexte de l'union, où le Bas-Canada se trouve minorisé et menacé d'assimilation dans un parlement uni, l'Église catholique se transforme naturellement en Église-nation, en bouclier sous lequel abriter et construire la nation naissante.

La nation qui se constituera pour le siècle à venir sera culturelle et « romantique », parce que religieuse, définie non pas par la participation de tous à la gouverne de la société, mais par le partage de traits culturels communs, au premier chef le catholicisme, ainsi qu'une certaine idéalisation de la ruralité, de l'agriculture et de la famille. Ses premiers héros seront tout à la fois défenseurs du fait français et du catholicisme, l'un impensable sans l'autre. En outre, la souveraineté relative de l'Église catholique et la grandeur du Vatican serviront celles de la nation canadienne-française. Celle-ci y trouvera matière à

2. *Ibid.*, p. 175.

3. Ce qui ne doit pas porter à négliger le rôle des politiciens. Voir Éric Bédard, *Les réformistes. Une génération canadienne-française au milieu du XIXe siècle*, Montréal, Boréal, 2009.

s'institutionnaliser. Elle y puisera tout un éventail de symboles, de rituels, d'institutions (des hôpitaux aux écoles en passant par la presse) et de projets de développement qui formeront rapidement l'ossature et la matrice de la nation. De cette fusion religio-politique — notons que l'appui de l'Église est indispensable dans l'arène politique — découlent assurément des contraintes, notamment « l'impératif de conformité idéologique » et le « cléricalisme excessif[4] ». Mais, en marge d'une modernité industrielle et urbaine synonyme d'intégration et d'assimilation au Canada anglais, une nation francophone voit le jour et fait le pari de s'approprier à sa manière le monde. Non seulement construit-elle un État dans un État, mais elle se donne une mission collective qui fournit raisons fortes et légitimité aux efforts collectifs.

De l'acte de l'Amérique du Nord britannique (1867) aux crises scolaires (1870-1927) : une vision binationale du Canada

Si l'échec des rébellions et l'acte d'Union ont confirmé l'Église catholique comme institution d'encadrement social et figure du sujet collectif canadien-français, l'acte de l'Amérique du Nord britannique précisera la place politique et juridique de ce dernier au sein du Canada. Pour les Canadiens français, du moins à ses débuts, le pacte confédéral s'est présenté comme une victoire nationale. Face à la conception unioniste et centralisatrice du Canada prônée par les anglo-protestants, les Canadiens français jugent avoir opposé avec succès une conception davantage confédérale, garantissant aux provinces signataires une autonomie dans les champs de compétence fondamentaux, déléguant au fédéral les enjeux ne mettant pas en cause l'épanouissement des provinces selon leur « génie » propre, soit anglo-protestant, soit franco-catholique. D'ailleurs, le fédéral lui-même se devait d'être bilingue (article 133). Un espace politique autonome semblait ainsi s'ouvrir aux Canadiens

4. Lucia Ferretti, « Le Canada français dans ses institutions », dans Gilles Gagné (dir.), *Le Canada français. Son temps, sa nature, son héritage*, Québec, Nota Bene, 2006, p. 106-107.

français et s'ajouter à l'espace culturel et institutionnel de l'Église. On comprendra qu'une telle vue supposait que la nation canadienne-française correspondait essentiellement pour ses acteurs au territoire de la province du Québec. C'est donc avant tout son autonomie qui leur tenait à cœur, plus que le sort des minorités francophones au Canada. Les dangers de l'acte d'Union n'étaient-ils pas là pour rappeler l'importance de sauvegarder d'abord l'endroit où le Canada français pouvait être majoritaire ? On trouve ici formulée l'ambivalence qui persistera jusqu'à nos jours entre la défense du foyer national québécois et celui des avant-postes francophones hors province... Rapidement toutefois, les évènements des années et décennies suivantes mettront à l'épreuve la conception canadienne-française du Canada. Mais ils amèneront aussi les Canadiens français à préciser leur vision et leur ambition nationales. Tout à sa tâche de construire une nation catholique, l'Église-nation verrait ainsi la raison d'être canadienne-française dans la Providence et la mission divine, celle d'évangéliser le continent.

Bien qu'il ait existé une présence francophone en Amérique du Nord bien avant la conquête ou le pacte confédératif, les migrations canadiennes-françaises hors Québec ainsi que les crises scolaires de la deuxième moitié du dix-neuvième siècle ont conduit à une prise de conscience parmi la population canadienne-française du Québec de l'étendue de la nation. Entre 1860 et 1900, le Québec perdit environ un demi-million de Canadiens français, partis chercher du travail dans les manufactures de la Nouvelle-Angleterre et, dans une moindre mesure, coloniser les terres de l'Ontario et de l'Ouest canadien. Dans le même mouvement, le pacte confédératif était mis à rude épreuve par autant de crises au Nouveau-Brunswick (1870), au Manitoba (1890), dans les Territoires du Nord-Ouest (1895) et en Ontario (1890 et 1912), où les systèmes scolaires catholiques et francophones séparés étaient interdits ; Louis Riel était exécuté en 1885. Si le pacte confédératif canadien avait été signé entre deux peuples fondateurs, à tout le moins dans cet esprit, ne devaient-ils pas être traités également, où qu'ils se trouvent au pays ? Le Québec ne respectait-il pas le droit des anglo-protestants sur son territoire, en conformité avec l'article 93 de la Constitution ? C'est dans ce douloureux contexte que le Québec découvrait ces « petits Canada français », noués et rattachés au foyer national par les solidarités familiales et par le réseau d'institutions catholiques, créés sur le modèle de la paroisse canadienne-française québécoise. Cette expansion du territoire canadien-français et les défis politiques qu'elle rencontrait préciseront le nationalisme et le messianisme canadien-français : affinant la mystique nationale, le contexte religieux et politique fit des Canadiens français hors Québec les fers de lance de l'œuvre d'évangélisation de l'Amérique du Nord par les Canadiens français, peuple élu de Dieu. Dans un même mouvement, leur vitalité et leur traitement contribuaient à juger du sort réservé à la nation canadienne-française au Canada. Uni autour d'un nationalisme culturel religieux et d'une conception binationale de la Confédération à défendre, le Canada français a en quelque sorte forcé les occasions de se définir et de s'affirmer, tout en dessinant les contours du Canada moderne.

Le vingtième siècle a vu ainsi se multiplier les occasions de mobiliser les « forces vives » de la nation. Du point de vue institutionnel, on retrouve notamment, en sus des réseaux catholiques, l'Ordre de Jacques-Cartier (1926-1965), le Conseil de la vie française en Amérique (1937-2007) et les sociétés Saint-Jean-Baptiste. On trouve aussi des rendez-vous nationaux, notamment les conventions nationales du Canada français, les congrès de la langue française au Canada (1912, 1937, 1952 et 1957), de même que les états généraux du Canada français (1966, 1967 et 1969). Nommons aussi ces succès symboliques visant à transformer en amont le visage du pays sur le principe des deux peuples fondateurs : les timbres-poste bilingues (1927), les billets de banque bilingues (1936), Radio-Canada (1936), l'Office national du film (1939) ou encore le Conseil des arts (1957). C'est cela aussi que l'on retrouve, quoi qu'on en dise, dans la Loi sur les langues officielles (1969) et l'article 23 de la Charte canadienne des droits et libertés (1982).

Nous le disions d'entrée de jeu, le passé se laisse difficilement saisir. Ne nous surprenons pas qu'il en aille ainsi également du présent où s'entremêlent à vif les récits.

Évoquer la « fin du Canada français », c'est se remémorer la fin de l'unité nationale, pensée et vécue. Une unité institutionnelle, identitaire et nationalitaire dont « l'éclatement » a été immortalisé par l'échec des états généraux du Canada français (1966-1969) à trouver un consensus sur l'avenir de la nation. Une unité que l'on dira par ailleurs structurellement entamée, à tout le moins depuis la deuxième guerre mondiale, par le lent procès de provincialisation/étatisation des identités francophones (Québécois, Franco-Ontariens, etc.) et des stratégies politiques (autonomie provinciale contre droits des minorités). Plus largement encore, c'est évoquer les effets déstructurants des processus de modernisation sur les caractéristiques mêmes de la nationalité canadienne-française, dite traditionnelle, rurale et catholique. Si les centaines de milliers de francophones hors Québec furent un temps les fers de lance de la nationalité canadienne-française, ils devinrent progressivement pour le « foyer national » québécois l'image — partagée avec l'Église catholique — d'une nationalité vieillotte, minoritaire et toujours davantage affaiblie, à laquelle il ne fallait surtout plus arrimer le destin national... On parle depuis, pour caractériser les rapports entre communautés francophones au Canada, d'incompréhension, d'indifférence et d'oubli mutuels, quand ce n'est pas de rancœur ; mais voilà déjà un autre enjeu, bien contemporain celui-là.

Le Canada français, notre passé, est un passé à partager. C'est la mémoire d'une communauté de destin sachant se définir et se reconnaître, à la poursuite d'espaces d'autonomie pour elle-même. Cette communauté fit avec les outils que le temps et la contingence avaient placés entre ses mains, qu'ils soient symboliques ou institutionnels, étatiques ou infra-étatiques. Et c'est en osant se poser comme « universel concret », en abordant le monde et en y contribuant de manière distincte, que le Canada français s'est taillé une place comme nation francophone en Amérique.

Jean-François Laniel est doctorant en sociologie
à l'université du Québec à Montréal.
Ses recherches portent
sur les rapports entre le catholicisme
et le nationalisme au Canada français et au Québec.

Champlain, l'incontournable fondateur

Denis Vaugeois

Au moment de céder le Canada à l'Angleterre par le traité de Paris du 10 février 1763 — une date à retenir —, les autorités françaises font tout pour garder l'accès aux pêcheries de la région de Terre-Neuve. C'est ainsi que la France conserve deux îles minuscules, Saint-Pierre et Miquelon, comme bases pour exploiter les *french shores.*

Les Français ont de la suite dans les idées. En 1713, au moment de la signature du traité d'Utrecht, ils avaient renoncé, a-t-on répété dans les livres d'histoire, à Terre-Neuve, l'Acadie et la baie d'Hudson. Un peu distraits, certains auteurs de manuels ont parfois négligé le maintien d'installations de pêche que la France conservait avec, cette fois, une base à l'île du Cap-Breton où était prévue une forteresse qui sera connue sous le nom de Louisbourg.

Les pêcheries, plus précisément la morue, sont à l'origine de la Nouvelle-France. Depuis des temps immémoriaux, Bretons, Basques, Normands fréquentent les bancs de Terre-Neuve. La morue nourrit l'Europe, surtout à cette époque où les catholiques doivent « faire maigre » quelque cent cinquante jours par année, c'est-à-dire s'abstenir de « manger gras » en évitant tout produit provenant d'un animal terrestre y compris le lait et les œufs.

Les débuts du Canada

En général, le récit traditionnel s'ouvre avec Giovanni Cabotto devenu John Cabot sous la plume des historiens anglais ou avec Jacques Cartier pour les auteurs français. Lequel mérite le titre de découvreur du Canada ? C'est une affaire politique ! D'ailleurs un peu ridicule si on se souvient que Cabot avait été incapable de dire où il s'était rendu et que, quand il a voulu y retourner, il s'est perdu et n'est jamais revenu.

L'épisode de Cartier est par ailleurs bien documenté mais pas très glorieux. Il a laissé des informations utiles certes, mais de mauvais souvenirs chez les Indiens. Il est probable également qu'il ait amené avec lui, ou dans son sillage, les premières épidémies qui dévasteront les populations autochtones.

On a longtemps cru qu'au lendemain de ses voyages le Saint-Laurent était tombé dans l'oubli. Les uns accusaient les guerres de religion, d'autres la déception engendrée par les « faux diamants du Canada » ramenés par Cartier.

En vérité, un va-et-vient important avait été maintenu après 1543. Aujourd'hui, les spécialistes s'entendent pour signaler la présence de quatre à cinq cents navires qui visitent annuellement la région de Terre-Neuve. L'historien Laurier Turgeon, un passionné des pêcheurs basques, a déjà surpris ses collègues en affirmant qu'au cours du seizième siècle il était venu plus de bateaux européens dans le golfe du Saint-Laurent que dans le golfe du Mexique.

Les travaux de Bernard Allaire et d'Éric Thierry vont dans le même sens. Ce dernier a mis en lumière un document de 1613, dans lequel des marchands de Saint-Malo rappelaient que des Malouins et autres Européens fréquentaient le Saint-Laurent depuis trente-cinq ans environ. Parmi ceux-ci, ils mentionnent le nom du sieur Pontgravé de Saint-Malo qui, disent-ils, a initié Champlain en le conduisant au « premier sault » voilà « dix à douze ans ».

Un formidable tandem, Pontgravé et Champlain

C'est ainsi que s'écrit l'histoire : à partir de documents qui ouvrent des pistes et génèrent des questions. Généralement, pour trouver, il faut savoir ce qu'on cherche.

Qui sont ces deux personnages, Pontgravé et Champlain ? Le premier est peu connu et pourtant les historiens ont réussi à retracer les grandes étapes de sa vie ; le second est célèbre tandis qu'on ne sait à peu près rien de ses origines. Un généalogiste français, Jean-Marie Germe, vient tout juste de découvrir son acte de baptême dans les registres d'une église protestante de La Rochelle.

Pontgravé est né à Saint-Malo en 1560. Son univers, ce sera l'Amérique, plus précisément le Saint-Laurent. En 1598, le roi Henri IV fait un énorme cadeau à la France en promulguant l'édit de Nantes, qui instaure une forme de tolérance religieuse et qui s'accompagne de la paix de Vervins, laquelle est conclue avec son rival, Philippe II, roi d'Espagne.

La richesse de l'Espagne intrigue Henri IV. Il voudrait bien en savoir davantage sur les trésors des colonies espagnoles d'outre-Atlantique et si possible concurrencer son rival en Amérique. Il écoute de proches amis qui l'ont bien servi dans les guerres récentes dénoncer le monopole que détient un certain LaRoche au Nouveau Monde. Ils font parader, devant le roi, François Dupont-Gravé, dit Pontgravé, un habitué du Saint-Laurent, qui vante les bonnes relations qu'il entretient avec les indigènes, les richesses du pays en poissons et en fourrures et les possibilités de fonder là-bas une nouvelle France.

Les ouvrages de Champlain

La suite, on la connaît surtout par les écrits de Champlain. Celui-ci est un immense personnage dont la vie intime est entourée de mystère. Il a tous les talents, il sait tout faire. Excellent marin, il a traversé une vingtaine de fois l'Atlantique. S'il prend la plume, ce n'est pas pour écrire des lettres personnelles, à sa femme par exemple. Du moins, si celles-ci ont existé, elles n'ont pas été retrouvées. Il écrit pour faire rapport aux autorités, entretenir l'intérêt, plaider la cause du développement d'une colonie. Il sait observer et décrire. Tout l'intéresse, en particulier les Indiens. Il s'informe de leur organisation, de leurs mœurs ; il distingue les diverses nations, apprend à côtoyer les chefs et les présente à ses lecteurs. Champlain a nommé plus de chefs indiens dans ses récits que n'importe lequel de ses successeurs. Il établit avec eux des liens personnels, depuis Anadabijou jusqu'à Tessouat, en passant par Messamouet, Miristou, Nabachis, Batiscan, Ochateguin, etc. Ils lui servent d'informateurs. Comme il dessine bien et sait calculer ses positions, il se sert d'eux pour préparer des cartes. Il ne répugne pas à faire des emprunts, entre autres à la *Tabula Nautica* de son rival Henry Hudson.

En un sens, Champlain n'est pas un être désincarné, il a sa fierté. Il veut bien paraître. Dans ses premiers voyages, il fait commencer l'histoire de la Nouvelle-France avec lui et Pontgravé. Ce n'est que dans son récit de 1632, alors qu'il plaide pour une rétrocession de la Nouvelle-France cédée aux corsaires anglais trois ans plus tôt, qu'il évoque les voyages de Verrazzano et de Cartier. Il fait alors valoir l'antériorité.

Des Sauvages (1603)

Dans son premier ouvrage publié, *Des Sauvages*, Champlain raconte son voyage de 1603 avec Pontgravé, le capitaine de l'expédition. Ce voyage est d'une extrême importance. Pendant les deux mois de la traversée, Champlain a appris à connaître Pontgravé et à s'informer de ce qui les attend à Tadoussac. Champlain a déjà visité les colonies espagnoles à la demande d'Henri IV dont il avait été l'espion. Par la suite, le roi l'avait encouragé à faire ce voyage de 1603. Champlain avait beaucoup appris de la cruauté des Espagnols envers les indigènes. Il comprend, au contact de Pontgravé et des deux Montagnais qui les accompagnent, qu'il y a d'autres façons de faire.

C'est ici que naît la Nouvelle-France. Elle se fonde en effet sur un nouveau modèle qui débouchera sur des alliances franco-indiennes qui permettront à quelques milliers de Français de s'installer et de tenir, malgré un énorme déséquilibre de force par rapport aux colonies anglaises.

En juin 1603, « à la Pointe de Saint-Mathieu qui est à une lieue de Tadoussac », Champlain note tout : le grand sagamo Anadabijou est en pleine tabagie, qui veut dire festin, précise-t-il, entouré de quelque quatre-vingts ou cent de ses compagnons. Un des Montagnais qui rentrait de France n'a que de bons mots pour l'accueil que Sa Majesté leur a réservé. « Sa dite Majesté leur voulait du bien et désirait peupler leur terre et faire la paix avec leurs ennemis (qui sont les Iroquois) ou leur envoyer des forces pour les vaincre. »

La réponse appartient à Anadabijou. Il a le sens du protocole. Il offre à fumer puis prend « posément » la parole se disant content au nom des siens « d'avoir sadite Majesté pour grand ami ». Avec l'approbation de son auditoire, il « dit qu'il était fort aise que sadite Majesté peuplât leur terre et fît la guerre à leurs ennemis, qu'il n'y avait nation au monde à qui ils voulussent plus de bien qu'aux Français ».

« Peupler leur terre », Champlain l'a bien noté. Son journal nous met en présence de « trois nations » : les Etchemins, les Algonquins et les Montagnais qui reviennent d'un affrontement avec les Iroquois « à l'entrée de la rivière desdits Iroquois ».

Pendant que Pontgravé traite des affaires, il se promène dans les environs, il questionne. Il avouera plus tard qu'on lui a refusé de remonter le Saguenay. Les Indiens sont toujours soucieux de protéger leur rôle d'intermédiaires et refusent a priori de laisser passer leurs visiteurs. « Si vous souhaitez obtenir des marchandises qui se trouvent au-delà, nous irons vous les chercher ! » Cette politique est constante ; elle est celle des Montagnais, puis celle des Algonquins, à l'ouest, celle des Renards, au sud, celle des Sioux, et ainsi de suite.

Les Montagnais ne se privent pas cependant de titiller leur visiteur et décrivent un Saguenay qui conduit à « une mer qui est salée ». Champlain est frustré, ne partage-t-il pas le rêve de Christophe Colomb : atteindre cette mer qui conduira en Chine ?

À défaut de remonter le Saguenay, Pontgravé lui propose d'explorer le Saint-Laurent. Le 22 juin, ils sont à l'île d'Orléans, Champlain signale un « torrent d'eau » derrière laquelle il y a

« une terre unie et plaisante à voir », puis ils abordent à Quebecq. Cartier parlait de Stadaconé ; ce nom a été oublié. Les Iroquoiens du Saint-Laurent qu'avait visité Cartier ont disparu. « En ce temps-là le pays était plus peuplé de gens sédentaires qu'il n'est à présent », fait remarquer Champlain qui rappelle que Sa Majesté a « le sain désir d'y envoyer des peuplades ».

Dans son récit, Jacques Cartier notait la présence de « plaine de bledz », « comme mil de Brezil », certes une variété de « blé d'Inde » qui permet la sédentarisation, c'est-à-dire l'annonce d'une poussée démographique. Hélas, l'arrivée du maïs dans la vallée du Saint-Laurent est trop récente pour avoir eu cet effet au moment où se pointent les premiers Européens. Le choc microbien aura sournoisement raison d'une trop faible population autochtone. Si Cartier était arrivé un siècle plus tard, la situation aurait été bien différente.

Début juillet, Pontgravé et Champlain atteignent le fameux saut (aujourd'hui les rapides de Lachine) qui bloque la navigation sur le Saint-Laurent. À Tadoussac, Champlain s'était fait expliquer une « manière de raquette » qui permet de marcher sur la neige, cette fois il constate les vertus des « canots des Sauvages » avec lesquels « l'on peut aller librement et promptement en toutes les terres, tant aux petites rivières comme aux grandes. Si bien qu'en se gouvernant par le moyen desdits Sauvages et de leurs canots, l'on pourra voir tout ce qui se peut, bon ou mauvais, dans un an ou deux ».

Pendant cent cinquante ans, les Français vont s'en servir pour parcourir, explorer, nommer, cartographier l'essentiel de l'Amérique du Nord. Le rêve de Champlain les hante toujours. Ils deviendront d'infatigables voyageurs.

Champlain, explorateur et visionnaire

Tandis que, bon an mal an, Pontgravé traverse l'Atlantique et ravitaille la petite colonie tout en poursuivant le commerce qu'il pratique depuis 1580 environ, Champlain commence par explorer. Dugua de Mons, qui a obtenu du roi un monopole fort convoité, les entraîne en Acadie ; Champlain en profite pour longer la côte atlantique et descendre vers le sud, toujours davantage, comme s'il voulait atteindre la Floride où Ribaut et Laudonnière ont tenté des établissements.

Mais le voyage de 1603 les a mis en appétit. Ils persuadent de Mons d'ouvrir un poste sur le Saint-Laurent. Ce sera Québec en 1608. Désavoué et sans moyens, de Mons abandonne.

Dès 1608, Champlain est vite rappelé à l'ordre par ses partenaires indiens. N'a-t-il pas promis de les accompagner contre les Iroquois ? Si Champlain manie volontiers la plume, il sait aussi manier les armes et, si on veut bien le croire, il est fort dangereux avec un mousquet : « Jusqu'à ce que je fusse à quelque 30 pas des ennemis, où aussitôt ils m'aperçurent, & firent halte en me contemplant, et moi eux. Comme je les vis s'ébranler pour tirer sur nous, je couchai mon arquebuse en joue, & visai droit à un des trois chefs, & et de coup il en tomba deux par terre, & un de leurs compagnons qui fut blessé, qui quelque temps après en mourut. J'avais mis quatre balles dedans mon arquebuse. » La frayeur gagne les Iroquois devant la mort de deux des leurs et la panique les gagne quand un compagnon de Champlain embusqué fait feu à son tour.

En 1610, il perd son protecteur, Henri IV. Il doit se construire un nouveau réseau d'influence. Champlain se marie en 1611, puis multiplie les mémoires dans lesquels il oscille entre des vues commerciales et des projets agricoles. Plus tard, au dix-neuvième siècle, les partisans du retour à la terre reprocheront à Champlain d'avoir surtout plaidé en faveur du commerce. Il cherche même à faire rêver en suggérant que Québec pourrait un jour devenir un poste de douane sur la route de la Chine.

À partir de 1626, il doit composer avec la création, par le cardinal Richelieu, de la Compagnie des Cent-Associés chargée d'assurer le peuplement de la Nouvelle-France. Trop peu, trop tard. Québec est menacé. En 1629, Champlain et Pontgravé signent un acte de capitulation face aux frères Kirke. En effet, Pontgravé est toujours là, son petit-fils à ses côtés pour le soutenir. Il est souffrant. La Nouvelle-France, c'est toute sa vie. Son fils Robert y a servi, son gendre, Claude Godet Des Maretz, également.

Champlain n'a pas dit son dernier mot. Un traité de paix a été signé à Suze avant la capitulation. La Nouvelle-France, celle de sa carte synthèse de 1632, sera rendue à la France. Il pourra y accueillir enfin, en provenance du Perche, deux solides recruteurs, Robert Giffard et Nicolas Juchereau. Ils jettent les bases d'une langue française qui s'imposera grâce à un recrutement dans cette région où domine un « bon français ». Ils sont responsables des colons défricheurs tels Jean Guyon et Zacharie Cloutier qui en moins de cent ans auront chacun plus de deux mille descendants.

Cent cinquante ans après la rencontre de Tadoussac entre Pontgravé et Anadabijou, la Nouvelle-France compte quelque quatre-vingt-dix mille habitants si on additionne ceux du pays des Illinois et de la Louisiane. Au lendemain de la capitulation de Montréal en septembre 1760, Versailles doit décider de leur sort.

Les bancs de morue

Flanquée de ses deux protégés, les ministres Choiseul et Berryer, la marquise de Pompadour se tourne vers le roi. Il devra choisir entre le sucre des Antilles, les pêches de Terre-Neuve ou la fourrure du continent.

La Nouvelle-France coûte bien cher. La marquise s'y connaît en dépenses. La suite est implacable. Les Canadiens sont sacrifiés pour les bancs de morue.

Champlain a dû se retourner dans sa tombe, sans allusion à la sempiternelle recherche de ses restes. Cela dit, il a dû s'agiter assez pour déjouer les archéologues. Voilà du moins une hypothèse.

Champlain a laissé un héritage unique. Il a mis au monde une colonie française en Amérique du Nord. Il a dû se battre sans cesse pour s'assurer un minimum d'aide de la métropole. Il a fait ce qu'il fallait faire.

Il a su asseoir l'avenir de la Nouvelle-France sur des alliances avec les autochtones ; il a prôné la cohabitation et favorisé le métissage. Ce fut la recette miracle qui a permis de tenir jusqu'à l'affrontement final justement nommé par les Anglo-Américains, la *French and Indian War.*

En 1763, le conquérant propose aux Canadiens de les « parquer » dans une étroite « province de Québec ». Certains préfèrent rentrer en France où Choiseul ne sait pas quoi faire d'eux, d'autres se replient sur le petit commerce et l'agriculture, d'autres enfin ignorent les frontières et poursuivent le rêve de Champlain : la marche vers l'ouest. Ce sont les célèbres voyageurs qui rendront possible les exploits d'Alexander Mackenzie puis de Meriwether Lewis et William Clark. Mackenzie a su rendre hommage à son équipage ; les Américains sont plus réticents à partager les succès de Lewis et Clark et peu enclins à reconnaître la contribution de Métis et de Canadiens qui prolongent le modèle mis en place par Samuel de Champlain.

Les historiens américains, pour leur part, ont beaucoup étudié Champlain. En général, ils n'ont qu'un reproche à lui faire : celui de ne pas avoir été anglais.

Denis Vaugeois est un historien qui, depuis ses débuts au journal Boréal Express, *s'intéresse au monde atlantique et plus précisément à l'Amérique du Nord. Il est entre autres l'auteur de* America, *qui porte sur l'expédition de Lewis et Clark, et de* La mesure d'un continent, *écrit en collaboration avec Raymonde Litalien et Jean-François Palomino.*

La Conquête

Charles-Philippe Courtois

Qu'est-ce qu'un jeune adulte devrait savoir aujourd'hui sur la Conquête ? D'abord, ce que c'est. Ensuite, son importance et ses répercussions à l'échelle mondiale et internationale. Quand on parle de « la Conquête », on fait référence à la conquête de la Nouvelle-France, dont le Canada était le centre, par la Grande-Bretagne. Cette invasion militaire s'est achevée en 1760, et l'annexion fut scellée par la signature du traité de Paris en 1763 entre la Grande-Bretagne et la France qui mettait fin à la guerre. Avant la Conquête, les Canadiens étaient le centre d'un empire, depuis la Conquête ils sont une minorité défavorisée gouvernée par une puissance anglaise : d'abord directement comme colonie, ensuite dans une fédération à majorité anglophone.

La guerre de la Conquête, que les Américains dénomment la *French and Indian War*, s'est déroulée de 1754 à 1760 en Amérique du Nord. Les belligérants sont la Nouvelle-France et les treize colonies, et donc bien sûr leurs métropoles respectives, la France et la Grande-Bretagne. Mais aussi, il ne faut pas l'oublier, leurs alliés amérindiens. Traditionnellement, les treize colonies étaient désavantagées sur ce plan : à l'exception de la puissante confédération iroquoise, la majorité des nations amérindiennes étaient les alliées de la Nouvelle-France. Il leur faudra briser cette union pour vaincre. Après des années où les victoires sont plus importantes du côté français, sauf en Acadie, la tendance est inversée à partir de 1758. Sur le continent, la Nouvelle-France remporte encore une éclatante victoire au fort

Carillon, qui protège la frontière de la colonie sur la pointe sud du lac Champlain, route privilégiée d'invasion du Canada. C'est sur mer cependant que le changement décisif se produit. La Grande-Bretagne mène une politique agressive de blocus des ports français et de destruction de la marine française, commencée dès avant la déclaration de guerre officielle. En 1758, la flotte française n'est plus en mesure de protéger la forteresse de Louisbourg sur l'île du Cap-Breton, verrou du golfe du Saint-Laurent. Louisbourg, assailli, tombe aux mains des Britanniques, qui pourront lancer l'assaut contre Québec l'été suivant.

La flotte française sera anéantie après deux grandes défaites navales en 1759. La France n'est plus en mesure de secourir ses colonies — ni la Nouvelle-France, ni les comptoirs des Indes, ni les îles à sucre des Caraïbes. Avec la curieuse bataille des plaines d'Abraham, le 13 septembre 1759, le général britannique James Wolfe, arrivé trois mois plus tôt avec une formidable armada, tente le tout pour le tout avant que l'imminence de l'hiver canadien ne l'oblige à battre en retraite. Incapable de saisir la ville fortifiée depuis deux mois et demi, il s'acharne entre-temps à détruire le plus qu'il peut les établissements de la colonie[1]. Mais rien n'y fait, Québec demeure imprenable. C'est alors qu'il décide d'une attaque surprise : il débarque ses troupes en pleine nuit afin qu'elles s'installent sur les plaines d'Abraham après avoir gravi la falaise de l'Anse-au-Foulon. Ce faisant, il exposait ses troupes à être prises en tenaille entre les forces mobiles des Français et les unités et l'artillerie retranchées derrière les murs de Québec. Mais plutôt que de profiter de la folie de Wolfe, le commandant français, le marquis de Montcalm, tout auréolé de la gloire de nombreuses victoires en Nouvelle-France depuis son arrivée en 1756, effectua une sortie précipitée, sans attendre l'artillerie et sans se concerter avec les autres unités commandées par le brigadier Bougainville ou le gouverneur Vaudreuil, gentilhomme canadien avec qui il était brouillé. Abandonnant l'avantage défensif des murailles, sa colonne lancée en désordre contre le bloc anglais subit une déroute instantanée qui démoralisa les forces françaises.

1. Voir Gaston Deschênes, *L'année des Anglais*, Québec, Septentrion, 2009.

Peu après la ville de Québec capitula. Le gouvernement français se replia sur Montréal où l'officier Lévis, s'efforçant de réconcilier officiers canadiens et français, tenta de reprendre Québec avec la victoire de Sainte-Foy sur le successeur de Wolfe, Murray, en avril 1760. Mais l'absence de renforts français au printemps obligera la Nouvelle-France à capituler devant l'assaut de trois armées britanniques marchant sur Montréal à la fin de l'été. L'incapacité de la France à envoyer des renforts ne permet plus aux Canadiens de tenir. Ils ont besoin de troupes fraîches, de munitions et de provisions, la majorité des hommes étant mobilisés depuis le début du conflit pour servir dans la milice. Cette interruption du commerce entraîne aussi la perte des alliances amérindiennes, si cruciales dans la défense du Canada que les Anglo-Américains ne pouvaient atteindre par terre sans franchir de grandes étendues sauvages propices aux embuscades.

Ainsi, avant même la déclaration de guerre officielle entre la Grande-Bretagne et la France, qui ne surviendra que deux ans plus tard, leurs colonies nord-américaines avaient pris l'initiative du conflit. La Nouvelle-France chercha à fortifier ses positions dans la vallée de l'Ohio, pour bloquer l'avancée des treize colonies et de leurs alliés iroquois. Ces débordements lui paraissaient mettre en péril sa mainmise sur le commerce des Grands Lacs, essentiel à l'économie de la fourrure, ainsi que les liens entre le Canada et la Louisiane. Dès le début des années 1750, le gouverneur Duquesne fit ériger une série de forts dans la région, qui culminera avec la construction du fort Duquesne — qui, rebaptisé en l'honneur de William Pitt, deviendra Pittsburgh en 1758. Les colonies de Virginie, de New York et de Pennsylvanie étaient directement intéressées par l'expansion dans la région.

Le gouverneur de la Virginie mandate un officier de sa milice provinciale, un certain George Washington, d'exiger le retrait des forces françaises de la région, diplomatiquement en 1753, puis par les armes en 1754. Malgré son échec cuisant, Washington en retirera une première renommée, d'abord en publiant le récit de son premier voyage, ensuite en publicisant ses combats, qui sont à l'origine d'une première controverse. Un officier canadien, le sieur de Jumonville, attaqué par surprise par les troupes de Washington alors que sa troupe venait négocier avec les Anglo-Américains, est exécuté sommairement par un allié iroquois de Washington, Tanaghrisson, dit le « demi-roi »[2]. De grands écrivains européens, Horace Walpole et Voltaire, mais aussi le roi d'Angleterre lui-même, George II, commenteront le comportement de Washington dans cette affaire. Washington avait fait paraître dans les journaux un récit quelque peu glorifiant de son attaque du peloton de Jumonville, qui se concluait ainsi : « J'entendais le sifflement des balles et, croyez-moi, ce bruit a quelque chose de charmant[3]. » Mais il fut bientôt obligé de capituler à Fort Necessity qu'il avait lui-même fait ériger, et fort mal conçu. C'est donc ainsi que la France et la Grande-Bretagne se trouvèrent entraînées dans une des conflagrations majeures du dix-huitième siècle : par un coup de tomahawk fracassant le crâne d'un officier canadien et les rodomontades d'un major de la milice virginienne !

La guerre de la Conquête est, de fait, le théâtre nord-américain d'un conflit plus vaste, international, la guerre de Sept Ans, qui s'est déroulée sur tous les continents, de 1756 à 1763 : Europe, Amérique du Nord, Antilles, Afrique de l'Ouest, Indes, Philippines... La guerre de Sept Ans englobe ainsi une série de conflits ayant leur logique particulière sur chaque continent. En Europe, elle oppose deux grandes coalitions. D'un côté, la Grande-Bretagne et la Prusse, auxquelles s'ajoutent quelques États allemands, dont l'électorat de Hanovre, possession de la dynastie régnante en Angleterre. De l'autre, la France, l'Autriche et la Russie, principalement. La Grande-Bretagne et la France portent ce conflit dans leurs diverses colonies, d'Amérique du Nord, des Antilles, d'Afrique et des Indes. À la fin du conflit, l'Espagne et le Portugal se jetteront dans l'arène respectivement du côté français et britannique. L'Espagne, préoccupée par la nouvelle domination britannique, tente d'y parer en venant appuyer la France, mais son intervention est trop tardive et ne lui apportera que des défaites humiliantes à Manille et à La Havane.

2. Voir sa biographie dans le *Dictionnaire biographique du Canada*, en ligne.

3. G. Washington à J. A. Washington, 31 mai 1754, cité dans Charles-Philippe Courtois, *La Conquête. Une anthologie*, Montréal, Typo, 2009, p. 62.

Sur le continent européen, le conflit entraîne de grandes dévastations en Europe centrale. C'est là que le plus grand nombre de militaires, mais aussi de civils, sont tués ou blessés (on estime la guerre de Sept Ans responsable d'environ un million de décès). C'est que l'empire germanique, avec ses États rivaux et leurs alliés respectifs, devient le lieu d'affrontement de toute l'Europe, au détriment des populations qui y habitent. Pour autant, ces nombreux et meurtriers combats ne déboucheront, à la fin de la guerre, sur aucun changement politique. Le traité de paix signé en 1763, un mois après le traité de Paris, entre la Prusse, l'Autriche et la Saxe, aboutit au *statu quo ante bellum.* Il consacre néanmoins l'ascension de la Prusse et la gloire de son roi Frédéric le Grand, réputé pour la discipline de ses armées et son excellence comme stratège, car la Prusse avait frôlé la catastrophe au début du conflit. Les forces impériales autrichiennes, appuyées par les forces russes, s'étaient emparées de la capitale, Berlin, en 1759. Après avoir subi la pire défaite de sa carrière, Frédéric le Grand songeait à l'abdication et au suicide. Le renversement de la fortune dans les affrontements franco-britanniques, en 1759, lui apporteront les ressources nécessaires pour subsister. Puis, la Russie changea subitement de camp en 1762 lorsque le tsar Pierre III succéda à la tsarine Élisabeth de Russie[4].

Les scènes atroces de souffrances infligées aux populations civiles que cette guerre a provoquées ont choqué l'Europe et sont d'ailleurs dépeintes par Voltaire dans *Candide*, dont la satire se veut une critique féroce du militarisme européen de l'époque, avec son manque total d'égards pour les populations civiles. Voltaire, promoteur du commerce colonial, est assez critique des empires coloniaux. Il préconise les comptoirs commerciaux et la colonisation en zone tropicale. Ainsi, il juge que la Louisiane est une colonie intéressante, mais pas le Canada. Or, les affrontements avaient débuté en 1754 dans l'Ohio, deux ans avant la déclaration de guerre. C'est à la dispute concernant ces terres de la vallée de l'Ohio que Voltaire fait référence dans *Candide* en avançant que le roi d'Angleterre et le roi de France ont

4. Fervent admirateur de la Prusse, Pierre III sera renversé et assassiné quelques mois plus tard dans un coup d'État qui placera sa femme Catherine II sur le trône.

déclenché un conflit majeur « pour quelques arpents de neige ». Il méconnaissait ce territoire, mais le climat inhospitalier du Canada, frein considérable à son peuplement et à l'accroissement commercial à l'époque, rendait le tout absurde à ses yeux.

La France a consacré le gros de ses ressources aux affrontements continentaux en cherchant à aider son nouvel allié, l'Autriche, contre la Prusse et en espérant tenir l'Angleterre en s'emparant du Hanovre. Mais la corruption de la cour et du système des nominations, y compris dans l'armée, semble avoir joué un rôle important pour escamoter la puissance de ses grandes armées, perçues comme dominantes en Europe, du moins au début du conflit. La Grande-Bretagne, au contraire, a eu l'heur de pouvoir se fier, pour les affrontements sur le continent, à la Prusse. Cela lui permit de consacrer ses principales ressources à l'expansion coloniale, pour asseoir sa domination sur les mers et dans le commerce colonial européen, ce que la France ne put ou ne sut pas faire. C'est une nouveauté dans le jeu diplomatique des puissances européennes, la Grande-Bretagne va s'imposer grâce à sa domination des mers et son ascension subite dans les empires coloniaux. Cette victoire historique est certes redevable à la discipline des forces armées britanniques. Mais elle est largement due aussi à la détermination acharnée et francophobe de William Pitt, leader du camp des faucons au gouvernement de 1757 à 1761. Les premières années de campagne, de 1754 à 1757, avaient surtout été marquées en effet par de cuisantes défaites des Britanniques, dans la Méditerranée, en Allemagne, en Amérique du Nord comme aux Indes.

Le traité de Paris propulse l'Angleterre au premier rang des puissances européennes et mondiales, devant l'Espagne, depuis longtemps tombée en décadence, mais disputant désormais ce rang à la France. Le changement ne deviendra définitif qu'en 1815 à Waterloo. Le triomphe britannique est tel que la Grande-Bretagne en forgera immédiatement la légende. La Conquête sera présentée comme le début de la domination britannique qui marquera le dix-neuvième siècle. Avant même la fin du conflit, le gouvernement britannique, sous Pitt, fait de James Wolfe, le général mort en faisant la conquête de Québec, capitale de l'immense Nouvelle-France, ne l'oublions pas, un grand héros. Le tableau de Benjamin West, *La mort du général Wolfe*, dévoilé en 1771, est vite reproduit à très grande échelle dans une multitude de gravures de formats et de prix divers.

La Conquête est ainsi un événement crucial dans l'histoire du Québec et du Canada, bien sûr, mais aussi des États-Unis, de la Grande-Bretagne et de la France, et donc de l'Occident. La guerre de Sept Ans permet à la Grande-Bretagne d'éliminer la France de l'Amérique du Nord, mais aussi des Indes, ce qui pose les jalons de sa future suprématie impériale au dix-neuvième siècle. Plus immédiatement, l'élimination de la Nouvelle-France amorçait le processus qui entraînera la Déclaration d'indépendance des États-Unis une douzaine d'années plus tard, en 1776. C'est pourquoi cet événement a aussi inspiré une grande quantité d'œuvres marquantes aux États-Unis. L'une des plus touchantes est sans doute l'*Évangéline* du poète Henry Longfellow. Ce poème épique narre les épreuves des Acadiens qui, victimes du Grand Dérangement, furent déportés en grand nombre aux États-Unis, avant que plusieurs des survivants ne se regroupent en Louisiane, territoire qui devait demeurer français. Ils y deviendront les Cajuns, bien sûr, et s'angliciseront longtemps après que la Louisiane aura rejoint les États-Unis en 1803. Les conséquences de la guerre de la Conquête furent en effet dramatiques pour les Acadiens, ceux de la péninsule devenue britannique en 1713 et rebaptisée Nouvelle-Écosse, mais aussi ceux des territoires encore français mais envahis à partir de 1755 dans le Nouveau-Brunswick, l'île du Prince-Édouard, le Cap-Breton actuels et même la Gaspésie, déportés également.

Dans l'ensemble, les Américains retrouvent surtout dans ce conflit l'aube de l'indépendance de leur pays. En expulsant leur grand adversaire du continent, la France (redoutable comme puissance avec ses alliés indiens et sa base canadienne), le traité de Paris diminuait la valeur du lien colonial. C'est déjà la soif de la conquête de l'Ouest qui s'annonce, chemin sur lequel les Canadiens, avec l'empire de la Nouvelle-France, les avaient devancés.

De plus, la Grande-Bretagne avait dépensé une fortune pour remporter la victoire, en particulier en Amérique du Nord, et quand elle tenta d'imposer une contribution aux treize colonies pour renflouer ses finances, elle déclencha l'insurrection qui, en passant par le Boston Tea Party, allait mener à la Déclaration d'indépendance de 1776.

Enfin, la gravité du conflit obligea les treize colonies, jusque-là très indépendantes, à collaborer. Durant les premières années de campagne, la Nouvelle-France et ses alliés amérindiens semblaient mettre en péril la mince bande côtière de colonisation britannique, si densément peuplée pourtant, alors que ces ennemis semblaient eux-mêmes inatteignables, protégés par les grands espaces sauvages et leurs obstacles naturels. Une opinion américaine commença à se forger autour de cette préoccupation commune, journalistes et intellectuels, voire pasteurs et administrateurs anglo-américains enjoignaient aux colons de s'unir pour terrasser ce formidable ennemi.

Benjamin Franklin publia dans la *Pennsylvania Gazette*, en mai 1754, au tout début du conflit, une caricature demeurée célèbre encore aujourd'hui, intitulée *Join or Die* et représentant un serpent coupé en morceaux, depuis la tête représentant les provinces de Nouvelle-Angleterre, jusqu'à la queue, la Caroline du Sud. Benjamin Franklin jouera un rôle important dans les négociations du traité de Paris pour réfuter ceux qui, en Grande-Bretagne, pensaient qu'il serait plus politique de laisser subsister une Nouvelle-France aux côtés des colonies anglo-américaines, de manière à stimuler leur loyauté. D'autres journaux publieront au même moment des éditoriaux rappelant le mot de Caton l'Ancien, *Delenda est Carthago* (« Il faut détruire Carthage »), pour expliquer qu'il fallait que les treize colonies en finissent avec le Canada français[5].

Aussi, ce conflit a-t-il inspiré bien des auteurs américains, depuis l'historien Francis Parkman (1823-1893), sans doute l'un des plus lus et des plus influents, avec sa monumentale *France and England in North America* en sept volumes (continuellement rééditée), jusqu'à l'écrivain James Fenimore Cooper. *Le dernier des Mohicans* (1826), sans doute son roman le plus connu (et maintes fois adapté au cinéma), est un roman historique et d'aventures, dans le style de Walter Scott, mettant en valeur l'américanité et insistant sur les prémisses de l'indépendance. Le

5. Voir Guy Frégault, *La guerre de la Conquête* (1955), Montréal, Fides, 2009.

héros, Œil-de-Faucon, est un trappeur anglo-américain élevé par les derniers Mohicans qui se retrouve, avec son père et son frère adoptifs, happé par les péripéties du conflit autour du fort William-Henry, entre Albany et le lac Champlain, dont la chute en 1757 aux mains des Français fut un des temps forts qui avaient soudé l'opinion publique anglo-américaine naissante.

Au contraire de l'Angleterre, la France voudra oublier au plus vite ces échecs et ces colonies abandonnées d'Acadie, du Canada et de la Louisiane, pour insister sur son amitié avec les États-Unis. Car la revanche de la France après la défaite viendra sous deux formes : d'une part, elle apportera une aide militaire déterminante dans la guerre d'indépendance américaine, et en ressortira auréolée de victoires terrestres, mais aussi navales, contre les forces britanniques. Or, les treize colonies étaient justement, à cette époque, une des pièces maîtresses de l'empire et du commerce colonial britanniques. D'autre part, le commerce colonial français continuera son expansion jusqu'à la Révolution, en 1789, en raison du boom du commerce du sucre, la France ayant pu conserver les plus importantes de ses îles à sucre lors du traité de Paris. Néanmoins, le prestige de la monarchie française aura été entamé par cette défaite historique. Les patriotes républicains français se montreront d'ailleurs brièvement intéressés à réparer les torts de la monarchie de Louis XV et Louis XVI en tentant de favoriser la fin du joug britannique sur le Canada, au premier chef le « citoyen Genêt », ambassadeur de la République française aux États-Unis en 1793[6]. Mais ce souvenir refoulé, assorti d'un sentiment de culpabilité, transparaît somme toute assez peu, même s'il a inspiré de belles pages à Chateaubriand, Vigny, Tocqueville, Michelet, ou même Jules Verne, sur un ton plus optimiste (dans le roman *Famille sans nom*, qui dépeint le Bas-Canada en 1837-1838), sans oublier Charles de Gaulle. Chateaubriand déplore ainsi, dans ses *Mémoires d'outre-tombe* : « Nous sommes exclus du nouvel univers, où le genre humain recommence : les langues anglaise,

6. Discours reproduit dans Edmond-Charles Genêt, « Les Français libres à leurs frères canadiens », dans Charles-Philippe Courtois et Danic Parenteau, *Les 50 discours qui ont marqué le Québec*, Montréal, CEC, 2011, p. 36-40. Pour le contexte, voir Bernard Andrès, *La Conquête des lettres au Québec*, Québec, Presses de l'université Laval, 2007.

espagnole et portugaise servent[7] » sur tous les continents, d'où le français a été exclu avec la guerre de Sept Ans.

Qu'est-ce que la Conquête pour le Québec et le Canada, enfin ? C'est d'abord la fin de la Nouvelle-France, qui est démantelée. Son centre, le Canada, devient la *province of Quebec*. Une de ses provinces, l'Acadie, est entièrement détruite, ses habitants souvent sans défense dispersés aux quatre vents et privés de tout, pour ceux qui survivent. Le Canada anglais naîtra dans cette tourmente.

Qu'est-ce que cela implique ? Sur le plan formel, on saisit bien que c'est de cet événement que découle le visage de la fédération canadienne, à majorité anglophone mais conservant une province de langue française dans ce qui fut le centre de la Nouvelle-France, ainsi que celui du Québec avec ses institutions non seulement françaises (comme son droit civil) mais aussi britanniques (comme son système parlementaire ou son droit criminel) et sa forte minorité anglophone dont le rôle historique, grâce à sa position de pouvoir, a été déterminant.

Sur le fond, deux écoles de pensée se sont disputées sur le sujet. Chez les historiens, ce débat a opposé l'école de Montréal et l'école de Québec, installées à l'université de Montréal et à l'université Laval dans les années 1950. La première, influencée dans sa formation par la pensée de Lionel Groulx, mais laïcisée, juge que la Conquête, catastrophe nationale, explique l'infériorité des Canadiens français, leur soumission encore criante à cette époque. À l'inverse, la seconde, héritière d'une thèse loyaliste dite de « la Conquête providentielle » développée notamment par un certain clergé, thèse également laïcisée, voit la Conquête comme un bienfait : le changement de métropole aurait été en fin de compte bénéfique en ce qu'il aurait épargné au Canada français les affres de la Révolution. Sans cette « conquête providentielle », le Canada français aurait été incapable de se moderniser ; c'est plutôt l'Angleterre qui lui aurait apporté le libéralisme économique et politique, pour lesquels la francité serait un obstacle.

7. Cité dans C.-P. Courtois, *op. cit.*, p. 234.

Plus globalement, on retrouve là l'opposition entre deux sensibilités québécoises. Celle, généralement favorable à l'Angleterre, au gouvernement colonial ou au fédéralisme canadien, qui voit dans la domination anglaise du Québec un bienfait, et reste admirative des institutions et du pouvoir britanniques. De l'autre côté, celle plus patriotique des critiques de la domination britannique et souvent aujourd'hui du fédéralisme canadien, qui mettent en lumière tous les désavantages que ce nouvel ordre des choses a signifiés pour les Canadiens, nommés ensuite Canadiens français puis Québécois. Le malheur de la destruction de l'Acadie (beaucoup d'Acadiens se réfugièrent ici), des destructions au Canada, de la fin de leur empire. Le désavantage surtout de leur soumission à une tutelle étrangère : le pouvoir politique allait appartenir aux Britanniques quasi exclusivement pendant un siècle et le pouvoir économique pendant deux siècles au moins, jusqu'à la Révolution tranquille et l'immense secousse du « maîtres chez nous ».

Domination prolongée donc, avec tout ce que cela implique pour le peuple naissant qu'étaient encore les Canadiens aux dix-huitième et dix-neuvième siècles. Ils intégreront certes des apports du monde anglo-saxon à leur culture, mais demeureront longtemps sous-développés par rapport aux élites anglaises du pays, avec des contrecoups économiques qui favoriseront l'émigration massive aux États-Unis. On peut aussi relever les contrecoups culturels, ce sous-développement freinant le développement culturel et laissant longtemps planer une série de complexes, dans le Dominion du Canada, de supériorité chez les Anglais, d'infériorité chez les Canadiens français, dont la langue et la culture, quoique majoritaires, peinent encore aujourd'hui à s'imposer comme la référence commune de tous les Québécois.

Charles-Philippe Courtois est professeur adjoint au département des humanités du collège militaire royal de Saint-Jean. Spécialiste d'histoire intellectuelle, il est notamment l'auteur de La Conquête. Une anthologie *(Typo, 2009) et, avec Danic Parenteau, de* Les 50 discours qui ont marqué le Québec *(CEC, 2011).*

Darwin

Raphaël Arteau McNeil

L'homme descend du singe. Voilà une affirmation qui ne suscite plus le moindre étonnement aujourd'hui. Cette absence d'étonnement au sujet d'une affirmation aussi capitale sur l'être humain est déjà un témoignage probant de l'influence de Darwin sur notre monde. Cette affirmation est à ce point familière que sa représentation usuelle est récupérée à toutes les fins ; combien de fois et dans quels contextes avons-nous vu cette file indienne qui débute à gauche avec un singe, se termine à droite avec un être humain et qui présente, au centre, une succession plus ou moins longue d'hominidés dont la posture et le maintien ressemblent de plus en plus à l'homme moderne et de moins en moins au singe ? Ce slogan et cette image ne sont peut-être que les effets superficiels de l'influence exercée par Darwin sur notre monde, mais ils devraient convaincre quiconque moindrement sérieux d'accorder temps et effort à la compréhension des idées introduites par Darwin puisque celles-ci ont imprégné la conception de la nature humaine qui est aujourd'hui véhiculée et célébrée.

Il y a une certaine ironie dans le fait que la théorie de l'évolution, qui contient des idées radicales et révolutionnaires, ait été formulée par un être aussi humble et tranquille que Charles Darwin. Fils de médecin, Darwin entreprit comme allant de soi des études en médecine mais, ayant tôt fait de constater sa profonde répulsion envers la souffrance physique, il se réorienta vers la théologie. Comme il le notera dans son autobiographie: « Considérant la férocité avec laquelle j'ai été attaqué par les religieux orthodoxes, il paraît ridicule que j'aie déjà eu l'intention de devenir clergyman[1]. » Le fait mérite pourtant d'être souligné : à son arrivée à Cambridge, à l'âge de dix-neuf ans, Darwin lisait avec un plaisir sincère des œuvres de théologie naturelle, c'est-à-dire des œuvres qui expliquent comment l'ordre, l'harmonie et la beauté de la nature sont autant de preuves de l'existence d'un Créateur intelligent et prévoyant. La rupture qu'il incarne aujourd'hui dans l'histoire des sciences ne fut ni préméditée ni le résultat d'un caractère bouillant ou contestataire. Cette rupture, Darwin constate qu'elle s'est faite graduellement en lui-même lors de son voyage sur le *Beagle*.

Ce voyage de cinq ans, et son bref passage sur l'archipel des îles Galapagos, est l'anecdote la plus connue de la vie de Darwin. À juste titre, car ce voyage va constituer, selon l'avis même de Darwin, la première véritable éducation de son esprit. Il s'embarque à l'âge de vingt-deux ans et apporte avec lui *Les principes de géologie* de Charles Lyell. Cet ouvrage défendait une théorie évolutive de la géologie et démontrait que les phénomènes géologiques observables, comme l'érosion et les éruptions volcaniques, pouvaient expliquer à eux seuls l'évolution de l'écorce terrestre pour autant, et c'est cela qui a le plus marqué Darwin, que l'on conçoive qu'ils puissent s'échelonner sur plusieurs millions d'années. Lors des cinq années passées sur le navire, Darwin a pu accumuler les observations géologiques les plus diverses et, avec chaque observation, la théorie de Lyell s'imposait un peu plus à sa pensée. Si Darwin est si important aujourd'hui, c'est qu'il a su adapter la méthode et les idées de Lyell à la biologie, ce que Lyell estimait par ailleurs impossible. Une grande part du génie de Darwin réside dans cet heureux mariage entre observations et lectures. Car il n'a pas simplement observé la nature et formulé sa théorie de l'évolution : il a lu et observé, puis lu encore et observé encore, et ses lectures lui ont permis de réfléchir sur ce qu'il observait et ses observations, de réfléchir sur ce qu'il lisait. C'est en ce sens que Darwin a pu affirmer que son voyage sur le *Beagle* fut à la fois une éducation et un entraînement pour son intelligence.

1. « Recollections of the development of my mind and character », dans Charles Darwin, *Evolutionary Writings*, New York, Oxford University Press, 2008, p. 376.

En octobre 1836, Darwin est de retour en Angleterre. Dès juillet 1837, il commence à rassembler dans un carnet ses idées au sujet de l'origine des espèces. À peine un an plus tard, alors qu'il n'a pas encore trente ans, les grandes lignes de ce qui deviendra la théorie de l'évolution sont établies et le premier schéma en arbre pour illustrer la descendance des espèces est tracé. Patient, méticuleux et prudent parce que conscient du caractère hétérodoxe de sa théorie, Darwin a attendu plus de vingt ans avant de publier *L'origine des espèces* en 1859, un ouvrage qui compte parmi les rares textes qui ont su bouleverser en profondeur notre vision de l'être humain.

Quelles sont donc les implications de la pensée darwinienne pour l'être humain ? Reprenons le slogan : l'homme descend du singe. Pour être rigoureux, il vaudrait mieux dire que l'être humain et le singe possèdent un ancêtre commun dont ils descendent tous deux. Mais cela ne s'applique pas seulement au singe puisque, si on recule plus loin dans le temps, on découvrira que l'être humain possède des ancêtres communs avec le pinson, le poisson rouge et, en dernière instance, tous les êtres vivants qui peuplent la terre. Bref, tout ce qui existe entretient une filiation ininterrompue et continue avec le premier organisme vivant apparu il y a quelque trois milliards et demie d'années. Cette continuité entre tous les êtres vivants a de quoi surprendre, car ce que nous percevons tous les jours est une discontinuité évidente : qu'ont en effet en commun le pinson et le poisson rouge ? Comme ce sont d'abord les différences qui distinguent les espèces entre elles qui se présentent à nos yeux, la pensée dominante fut que les espèces avaient été créées séparément, les unes aux côtés des autres. Si aujourd'hui cette pensée semble d'emblée naïve à tout jeune cégépien, c'est en raison de Darwin. Et pourtant, sur le plan des apparences, l'idée d'une continuité entre toutes les espèces heurte autant le sens commun que l'idée que la terre se meut autour du soleil. D'ailleurs, Darwin était bien conscient que sa théorie heurtait le sens commun et il a pris la peine d'identifier quel en était l'obstacle majeur: « la cause principale de notre répugnance naturelle à admettre qu'une espèce ait donné naissance à une autre espèce distincte tient à ce que nous sommes toujours peu disposés à admettre tout grand changement dont nous ne voyons pas les degrés intermédiaires. [...] L'esprit humain ne peut concevoir toute la signification de ce terme : *un million d'années*; il ne saurait davantage ni additionner ni percevoir les effets complets de beaucoup de variations légères, accumulées pendant un nombre presque infini de générations[2]. » Si le temps est l'obstacle majeur à la compréhension de la théorie de l'évolution, il n'en demeure pas moins un élément clé, car la discontinuité apparente entre les espèces cache une continuité historique plus profonde et scientifiquement plus importante.

Ainsi, la formule populaire « l'homme descend du singe » signifie que la raison ultime de l'existence de l'être humain sur terre est son origine, c'est-à-dire sa filiation ininterrompue avec la première forme de vie. De cette première forme de vie est né des millions d'années plus tard, par évolution, l'être humain. De là, on tirera souvent la conclusion erronée que l'être humain est un être plus évolué. Même l'illustration de l'évolution par une file indienne qui va du singe à l'homme conforte cette méprise en impliquant une idée de progrès. Et beaucoup de cégépiens qui se disent darwiniens et qui répètent que l'homme n'a pas été créé à l'image de Dieu mais qu'il descend du singe, qui ont foi en la science plutôt qu'en la religion, vont dire d'un même élan que si l'homme n'est pas meilleur que le singe ou que n'importe quel animal, il demeure tout de même le plus évolué des animaux. Bref, l'évolution est pour plusieurs synonyme de progrès. N'y a-t-il pas en effet un progrès évident entre le poisson rouge, le pinson et l'être humain ? Pourtant, dans *L'origine des espèces*, Darwin répond: « Je ne vois aucun critère pour définir cette sorte de progrès[3]. » Et il ajoute ceci: « Les crustacés, par exemple, qui ne sont pas les plus élevés de leur propre classe, ont pu l'emporter sur les mollusques les plus élevés. » Le seul critère déterminant selon Darwin est le succès reproducteur et, selon cette perspective, toute autre caractéristique considérée comme plus élevée, de la locomotion à l'intelligence, perd de sa signification. C'est dire, comme le note Darwin dans l'un de ses carnets, que « la

2. Charles Darwin, *L'origine des espèces*, Paris, GF-Flammarion, 1992, p. 540.

3. *Ibid.*, p. 392.

perfection réside dans la capacité à se reproduire[4] ». À cet égard, il faudrait toujours se rappeler que Darwin n'aimait pas beaucoup le mot « évolution » et lui préférait nettement l'expression « descendance avec modifications » qui est plus neutre et n'évoque pas l'idée de progrès. Mais l'appellation « théorie de l'évolution » s'est malgré tout imposée, et avec elle se trouve confortée la propension à recevoir à demi les idées de Darwin.

Pour aller jusqu'au bout, il faut chercher à comprendre ce qui explique la singularité de l'espèce humaine selon Darwin. Or cette singularité, comme toute singularité par laquelle une espèce se distingue, celle du pinson comme celle de l'homme, s'explique par la contingence, c'est-à-dire par des événements fortuits qui se produisent à l'intérieur de ce mécanisme implacable qu'est la sélection naturelle. Considérons un exemple simple. Si une extinction massive n'avait pas entraîné la disparition des dinosaures il y a quelque soixante-cinq millions d'années, jamais les grands mammifères n'auraient pu se développer. Or, cette extinction fut causée, semble-t-il, par l'impact fortuit d'un météorite dans la péninsule du Yucatan. Cet impact modifia les conditions de vie sur terre à un point tel que les dinosaures n'étaient soudain plus adaptés à ce nouvel environnement alors que les petits mammifères l'étaient beaucoup plus. La sélection naturelle a fait son œuvre : les dinosaures se sont éteints et les mammifères ont pu occuper de nouvelles niches écologiques. Il s'agit d'un exemple exceptionnel, certes, mais qui illustre bien la contingence qui marque l'existence de l'homme : sans ce météorite, point d'êtres humains.

On touche ici à l'élément le plus amer de la théorie darwinienne. Et la querelle au sujet de Darwin, une querelle qui a débuté en 1859 et qui est toujours vive dans certains milieux, porte sur cet enjeu : peut-on accepter que l'homme soit issu de la contingence ? Car selon la biologie, il n'y a pas de raison, c'est-à-dire pas de justification ni de signification, à l'existence de l'homme. L'opposition à tous les textes religieux qui affirment

4. Charles Darwin, *Notebooks on the Transmutation of Species*, D, 1838, p. 55. On peut consulter ce texte manuscrit de Darwin, et tous ses autres textes, sur le site <http://darwin-online.org.uk/>.

que l'origine de l'homme est l'œuvre d'un créateur divin et qu'il s'agit d'un événement sacré ne saurait être plus complète. Tous ceux qui combattent le darwinisme au nom de la religion ou d'un dessein intelligent ont cependant le mérite de forcer l'exposition complète de ses conséquences : selon la biologie darwinienne, l'homme n'est pas le fruit d'un quelconque progrès, mais bien un résultat accidentel parmi tant d'autres du développement de la vie sur terre.

Darwin a jeté les bases d'une compréhension nouvelle de la vie et, surtout, de ses mécanismes. Puisque nous sommes des êtres vivants, la biologie darwinienne offre une définition de l'homme qui est marquée au sceau de l'autorité de la science. Cette autorité est si grande que l'on accepte souvent cette conception de l'être humain sans en saisir toutes les implications (absence de progrès, primauté de la contingence). Cela dit, il est tout de même remarquable que les démocraties libérales s'accommodent si bien du darwinisme. On peut alors se demander s'il n'existe pas une affinité profonde entre les deux pensées.

Le propre de nos démocraties est en effet de refuser de se prononcer sur le sens de la vie : elles garantissent des droits qui permettent à chacun de vivre une vie sécuritaire et confortable tout en laissant à chacun la tâche de donner sens à sa vie en adoptant les valeurs qu'il lui plaît bien d'adopter. Il est vrai que Darwin lui-même a toujours été réfractaire à une récupération politique de sa pensée, que ce soit à droite pour justifier le laisser-faire économique (Spencer) ou à gauche pour justifier le socialisme (Marx et Engels). Mais ce refus, justement, a de quoi nous plaire. Nous chérissons ce monde cloisonné en différents discours, chacun limité à son propre territoire, la science ici, la politique là, la religion par ici et l'art par là, car ce cloisonnement nous donne l'impression d'être libres en évitant de faire face aux contradictions qui nous habitent. En ce sens, il est peut-être heureux que la biologie darwinienne ait autant de difficulté à respecter ses limites au sens où toutes ses avancées, théoriques comme technologiques, ont des implications morales et politiques. Elle nous force ainsi à sortir de notre paresse et à prendre conscience de notre nature dans toute sa complexité. Une tâche qui n'est pas aisée, pour nous qui descendons du singe, comme on dit. Mais nous seuls, parmi tous les vivants, pouvons prendre conscience de l'importance d'une telle tâche.

Raphaël Arteau McNeil est professeur de philosophie au collège François-Xavier-Garneau et responsable du certificat sur les œuvres marquantes de la culture occidentale à l'université Laval.

Les droits de l'homme

Yves Couture

Les droits de l'homme reconnaissent à chaque être humain un droit fondamental à la vie, à la liberté et à la dignité, par-delà les différences de sexe, d'âge, de culture, d'appartenance nationale, de préférence idéologique, de mode de vie ou de statut social. Ils appellent par ailleurs à traduire cette égalité essentielle en mesures concrètes, puisqu'un droit n'est effectif que si l'on peut s'en prévaloir et le faire respecter.

Les droits de l'homme sont devenus une dimension essentielle de la politique moderne. La Déclaration universelle des droits de l'homme adoptée par l'Assemblée générale des Nations unies en 1948 en a institutionnalisé les principes au cœur de l'ordre juridique international. Ils ont fait l'objet depuis lors d'une reconnaissance accrue dans la plupart des pays occidentaux. L'Assemblée nationale du Québec adoptait le 27 juin 1975 la Charte québécoise des droits et libertés de la personne. La Charte canadienne des droits et libertés fut l'élément central de la réforme constitutionnelle de 1982. L'Union européenne s'est dotée en 2000 d'une nouvelle Charte des droits fondamentaux. À cette présence institutionnelle s'ajoute une forte imprégnation dans l'imaginaire contemporain. L'individu moderne se pense plus que jamais comme un *ayant droit*.

Malgré ou en raison de leur statut incontournable, les droits de l'homme demeurent cependant une notion controversée. Les conceptions de l'homme, de la société et de l'histoire qui furent à la source de leur élaboration progressive sont souvent rejetées ou du moins fortement transformées. Pensons ici au droit naturel ou aux théories du contrat social. Au-delà de ces critiques théoriques, certains évaluent négativement les effets de la constitutionnalisation de droits fondamentaux, comme l'illustrent les dénonciations récurrentes du pouvoir des juges qu'auraient entraîné les chartes des droits. Ces critiques s'inscrivent dans la continuité des débats qui n'ont jamais cessé d'accompagner la notion de droits de l'homme. La transformation du contexte en a pourtant changé le sens et la portée. À l'origine, plusieurs critiques exprimaient en effet un rejet massif des principes de la politique moderne. Peu à peu, elles ont été absorbées par un argumentaire démocratique, de sorte que les principaux enjeux portent aujourd'hui sur les rapports complexes qu'entretiennent les droits de l'homme et la démocratie.

La lente émergence des droits de l'homme dans un monde prédémocratique

Pour comprendre l'importance actuelle des droits de l'homme, il faut retracer leurs sources philosophiques et morales, mais aussi les rapports sociaux et les conditions politiques qui en ont favorisé l'émergence. Nous tâcherons de retenir ici l'essentiel.

On trouve des prémisses de l'idée d'égalité des droits de tous les êtres humains dans les grands empires de l'Antiquité, notamment en Perse. Mais ce fut l'opposition entre la nature et la convention telle que posée par la pensée grecque qui marquera la conception occidentale d'un droit *naturel*, universellement valable. La frontière entre nature et convention s'avère toutefois délicate à tracer. Les sociétés antiques justifiaient une inégalité radicale entre les hommes et le primat de la Cité sur l'individu. Plusieurs penseurs grecs critiquaient certes les divers ordres de fait, mais la plupart n'en concevait pas moins la nature selon le modèle d'une hiérarchie idéale. Il y a ainsi chez Platon et Aristote l'amorce d'un droit naturel centré sur l'idée que l'ordre conventionnel devrait s'approcher d'un ordre naturel où chacun trouve sa place dans un tout hiérarchisé. Ce droit naturel initial gardait donc un lien avec l'ordre effectif des Cités.

La notion évoluera ensuite vers un universalisme plus explicite qui donnera plus d'importance à l'idée d'égalité. On le constate dans le stoïcisme romain puis dans le droit naturel chrétien. L'ensemble du droit naturel classique a toutefois continué de penser les sociétés humaines en référence à un cosmos ordonné ou à la Loi divine.

Pour mener aux droits de l'homme tels que nous les entendons aujourd'hui, une transformation profonde s'avérait nécessaire. Elle sera accomplie par le droit naturel moderne, qui est à la fois l'héritier et le critique du droit naturel classique. L'axe critique passe par une nouvelle conception de la nature, dont on affirme de plus en plus l'autonomie à l'égard de la loi divine. Les théories modernes du contrat social contribuent également à donner une assise plus individuelle au droit naturel. Les guerres de religion et le souci de préserver la liberté de conscience ont joué un rôle clé à cet égard, de même qu'une volonté de légitimer plus adéquatement la propriété privée. Ces développements intellectuels et moraux se produisent en parallèle avec la consolidation de l'État centralisé, l'autonomie accrue de la société civile et la lutte contre les privilèges de l'aristocratie et du clergé.

La présence plus ou moins forte de ces divers facteurs crée des contextes variables selon les pays. Au terme de la Glorieuse Révolution de 1688, et s'appuyant sur une tradition que certains font remonter jusqu'à la Magna Carta de 1215, le parlement anglais adopte en 1689 une déclaration des droits dont le modèle sera repris dans plusieurs colonies anglaises. La déclaration d'indépendance américaine de 1776 comportera à son tour l'affirmation de droits fondamentaux, précisés par le *Bill of Rights* ajouté à la constitution en 1789. Dès l'amorce de la Révolution française, l'influence de la pensée des Lumières et l'exemple américain conduisent l'Assemblée constituante à adopter la Déclaration des droits de l'homme et du citoyen, restée emblématique de la rupture avec l'ancien ordre hiérarchique européen.

Associés aux grandes révolutions modernes, les droits de l'homme semblent ouvrir une ère nouvelle de la politique et de la civilisation. On y voit rapidement un idéal de fraternité à la fois au sein des nations et pour l'humanité entière. Ils deviennent ainsi partie prenante d'une philosophie progressiste de l'histoire.

L'ensemble des caractéristiques des droits de l'homme et le contexte de leur affirmation éclairent les critiques qui leur furent adressées, tout spécialement après la déclaration française de 1789. Les penseurs traditionalistes et l'Église catholique y ont d'abord vu la volonté de faire de l'homme la mesure de toute chose, détachant ainsi la loi humaine de son ancrage religieux. Formulée dès 1791 par Edmund Burke, la critique de l'abstraction des droits de l'homme sera reprise par de nombreux conservateurs, mais aussi par tous ceux qui refusent de séparer la notion de droits d'un cadre politique effectif. La pensée conservatrice vit également dans l'idéal d'égalité un vecteur d'érosion des hiérarchies et des solidarités sur lesquelles tout ordre social paraissait construit. Ces critiques traditionalistes ne furent bien entendu pas les seules. Dès 1791, Olympe de Gouge dénonce le statut inférieur laissé aux femmes par la déclaration de 1789. Bentham et la pensée utilitariste, Comte, le positivisme et la sociologie naissante, critiquent la fondation métaphysique, et donc à leurs yeux illusoire, des droits de l'homme. Marx ne voit dans l'affirmation solennelle d'égalité qu'un formalisme qui voile les inégalités réelles de la société bourgeoise. Une partie de la tradition anarchiste dénoncera le lien entre les droits de l'homme et l'institution chargée de les réaliser, l'État centralisé moderne.

Droits de l'homme et démocratie

Les deux derniers siècles sont souvent interprétés comme le théâtre d'une réalisation toujours plus poussée de la démocratie et des droits de l'homme. La réalité est bien sûr plus complexe. De l'échec des révolutions libérales européennes de 1848 jusqu'à 1945, le monde donne plutôt l'impression d'un vaste champ de bataille entre des forces et des principes divergents. Malgré la rhétorique grandiloquente sur la mission civilisatrice de l'homme blanc, l'impérialisme occidental entre radicalement en contradiction avec l'idéal d'égalité des droits de tous les êtres humains. En Europe, l'Ancien Régime est d'ailleurs loin d'être mort. La nostalgie d'une société organique et autoritaire se métamorphose plutôt en idéologies diverses dont certaines, dans les circonstances troubles qui suivent la première guerre mondiale, inspireront des régimes qu'on appellera bientôt totalitaires. La critique marxiste des droits de l'homme sera de même prise au pied de la lettre par le régime soviétique, qui consolide sa légitimité par l'écrasement sans merci des ennemis intérieurs.

Dans ce contexte, la lutte contre le fascisme et la victoire des alliés en 1945 pourront être vus comme une sorte de refondation de la politique moderne. La démocratie devient le seul horizon légitime et c'est alors que les Nations unies nouvellement créées adoptent la Déclaration universelle des droits de l'homme. La décolonisation viendra bientôt défaire l'anachronisme impérial. Cette refondation paraît pourtant inachevée. Plusieurs critiques du capitalisme continuent d'espérer le passage à la société communiste, jugée seule vraiment démocratique. Pour la majorité des Occidentaux, les droits de l'homme sont à l'inverse le fer de lance d'une conception de la démocratie opposée point par point au modèle soviétique. La fin de l'URSS en 1991 semblera dès lors parfaire la victoire incomplète de 1945 et attester l'universalité des promesses des grandes révolutions du dix-huitième siècle.

On aurait pourtant tort de croire à l'effacement des anciennes critiques des droits de l'homme. On assiste plutôt à leur reformulation démocratique. C'est au nom de la démocratie redéfinie comme régime sans garant normatif ou légal ultime que sont ainsi reprises les critiques de l'arrière-plan métaphysique attribué à la notion de droits humains. Face au pôle démocratique d'une autoconstitution jamais achevée des règles du vivre ensemble, ils peuvent en effet apparaître comme une limite hétéronome à l'ouverture politique. Certains ajouteront que cette limite institutionnalisée au pouvoir du peuple contribue du reste à maintenir un ordre qui demeure fortement oligarchique. En s'appuyant sur l'idée que la démocratie doit laisser émerger le conflit social, on critique également l'horizon d'unité et de pacification associé aux droits fondamentaux. Plusieurs considèrent enfin le grand récit de la réalisation progressive des droits de l'homme comme un avatar naïf des grandes philosophies de l'histoire.

Ces diverses critiques reflètent la méfiance envers l'Un et l'idée de fondation qui caractérise une part de la pensée contemporaine. Deux constats généraux s'imposent néanmoins. Le premier confirme paradoxalement cette méfiance, puisqu'on assiste aussi à un effort de reconceptualisation des droits de l'homme qui vise à les dégager de toute idée d'une fondation naturelle ultime. L'usage d'expressions jugées plus souples, comme droits de la personne ou droits humains, reflète cette évolution. Et quoi qu'en disent ceux qui tendent à la distinguer de la démocratie, la notion de droits fondamentaux reste par ailleurs centrale dans les pratiques et l'imaginaire démocratiques contemporains. Les débats sur l'inclusion de nouveaux droits sociaux à la liste des droits essentiels illustrent cette tendance générale. Soulignons également que les critiques de la juridicisation des enjeux politiques finissent souvent eux-mêmes par en appeler aux chartes des droits pour défendre leurs perspectives et leurs intérêts contre l'action des gouvernements en place.

Yves Couture est professeur de philosophie politique au département de science politique de l'université du Québec à Montréal. Il est membre du groupe d'étude sur la modernité anthropologique et politique, ainsi que chercheur associé à la chaire Unesco de philosophie et à la chaire Mondialisation, citoyenneté et démocratie.

Freud, penseur des Lumières sombres[1]

Élisabeth Roudinesco

De nos jours, Freud est haï et son œuvre rejetée au nom d'une prétendue inefficacité de la cure psychanalytique. Lui, le penseur des Lumières et de la science, qui pourtant avait été attaqué par toutes les religions — et encore aujourd'hui fortement dans les pays islamiques — est regardé avec mépris dans les démocraties modernes comme une sorte de gourou adepte de fausses sciences.

Dans le monde anglophone, le débat sur Freud porte en général sur des questions pragmatiques : utilité ou non de la cure, scientificité ou non de la psychanalyse. À quoi s'ajoute un débat historiographique, en général d'une grande indigence, la légende noire, véhiculée par des historiens révisionnistes — Sonu Shamdasani, Mikkel Borch-Jacobsen, Peter Swales, etc. —, ayant succédé à la légende dorée issue d'Ernest Jones, son premier grand biographe. Freud serait un escroc, dit-on, un bigame, un pervers sexuel, un menteur. Toutes ces accusations sans fondement ont fait pendant longtemps la une de la presse américaine avant d'être actualisées en Europe.

Ainsi, en 2006, un sociologue, Franz Maciejewski, plongea toute la communauté freudienne mondiale en émoi en annonçant qu'il avait enfin trouvé la « preuve » que Freud avait bien eu une relation sexuelle avec sa belle-sœur Minna Bernays, non seulement quand il voyagea avec elle à partir de 1896 mais aussi tout au long de sa vie. Et pour démontrer le forfait, il

1. Conférence publiée en anglais en 2007, revue, corrigée et augmentée pour la présente publication.

exhuma une signature de Freud sur le registre d'un hôtel de l'Engadine, datée du 13 août 1898, dans laquelle celui-ci la faisait passer pour son épouse. Toute la presse mondiale publia la photo actuelle de la fameuse chambre comme « preuve » du délit. Je dis bien la chambre actuelle, avec des meubles et des lits d'aujourd'hui, avec une télévision. Nul ne se soucia de savoir si la chambre en question était aménagée, il y a cent dix ans, comme elle l'est aujourd'hui.

Or, il suffit qu'un autre chercheur se livrât à une petite enquête pour que fût invalidée la thèse du sociologue peu scrupuleux qui s'était tout simplement trompé de chambre. L'actuelle chambre 11 de l'hôtel situé à Maloja est aujourd'hui la chambre 23, une chambre double, une sorte d'appartement avec deux pièces, tandis que l'actuelle chambre 11, photographiée comme « preuve » de la « faute freudienne » par la presse, est une petite chambre où Freud n'a jamais séjourné[2]. Et d'ailleurs, même si c'était le cas, rien ne prouve que cette liaison ait eu lieu. Mais, comme on le voit, tout est fait de nos jours pour que le débat sur Freud soit réduit, non seulement à des anecdotes, mais à la production de faux témoignages ou d'archives falsifiées ou encore interprétées de travers. Car on pense que, si l'on atteint Freud dans sa vie privée, alors il deviendra possible de démontrer que toute sa théorie s'effondre : position puritaine par excellence.

Je voudrais donc, pour souligner l'ineptie de ces attaques, faire apparaître un autre visage de Freud, celui d'un penseur des Lumières sombres, d'un penseur qui, tout en croyant à la raison et au progrès, fut toujours, en même temps et selon un mouvement dialectique interne à sa pensée, un penseur critique des illusions du progrès et de la raison[3].

Je préfère employer ce terme plutôt que celui d'anti-Lumières ou de contre-Lumières. Car si l'expression d'anti-Lumières vient de Nietzsche, qui désignait ainsi tout un courant attaché à la haine de la Révolution et de la démocratie — de Burke à Wagner —, la notion de Lumières sombres, que je reprends à

2. Voir le *New York Times*, 24 décembre 2006, ainsi que Élisabeth Roudinesco, *Le Nouvel Observateur*, 1er février 2007, et *Mais pourquoi tant de haine*, Paris, Seuil, 2010.

3. Carl Schorske, *Vienne fin de siècle*, Paris, Seuil, 1983.

Theodor Adorno, désigne tout autre chose : précisément l'idée de critiquer les excès liés à la croyance au bonheur et au progrès, sans pour autant abandonner l'esprit des Lumières[4].

Contre les anti-Lumières, Nietzsche voulait allumer de nouvelles Lumières, et c'est dans cet esprit que l'on peut situer Freud comme nietzschéen. Il a rallumé l'esprit des Lumières sans céder aux illusions d'un optimisme trop linéaire. Freud est un mélange de Diderot, de Sade et de Voltaire sur fond de romantisme devenu scientifique, comme le soulignera Thomas Mann[5].

Des milliers de livres ont été consacrés à l'inventeur de la psychanalyse et plusieurs dizaines de biographies permettent aujourd'hui de connaître, dans ses moindres détails — et par-delà toute légende dorée ou noire — la vie, les mœurs et l'histoire intellectuelle de ce Viennois paradoxal, dont l'œuvre — vingt-cinq volumes et une immense correspondance — est traduite en une soixantaine de langues.

Fasciné par la mort et le sexe, mais soucieux d'expliquer de façon rationnelle les aspects les plus cruels et les plus sombres de l'âme humaine, Freud eut l'idée, le 15 octobre 1897, à l'âge de quarante et un ans, de rapporter à la grande scène des dynasties tragiques de la Grèce ancienne la petite affaire privée de la famille bourgeoise « fin-de-siècle » dont s'occupaient à la même époque que lui tous les psychologues spécialisés dans l'étude des névroses : « Chaque auditeur, dit-il, fut un jour en germe, en imagination, un Œdipe qui s'épouvante devant la réalisation de son rêve transposé dans la réalité[6]. » À la figure d'Œdipe, il ajouta celle d'Hamlet, héros coupable, confronté au spectre d'un père réclamant sa vengeance.

Que le complexe d'Œdipe — tuer le père et épouser la mère — soit ensuite devenu, par la faute même des psychanalystes, une psychologie familialiste assez ridicule n'enlève rien à la force d'un geste inaugural qui consista à placer le sujet

4. Max Horkheimer et Theodor Adorno, *La dialectique de la raison,* Paris, Gallimard, 1974.

5. Thomas Mann, *Freud et la pensée moderne,* Paris, Aubier-Flammarion, 1970.

6. Sigmund Freud, *La naissance de la psychanalyse,* Paris, PUF, 1950, p. 198.

moderne face à son destin : celui d'un inconscient qui, sans le priver de sa liberté de penser, le détermine à son insu. Révolution du sens intime, la psychanalyse eut pour vocation, bien au-delà d'une quête de soi, de changer l'homme en montrant que le « Je est un autre ». Par ce geste, Freud s'est démarqué des psychologues et sexologues de son temps en rendant lisible notre vie inconsciente en dehors de toute « science » des comportements. Il a donné un contenu littéraire à ce domaine au lieu de prétendre l'examiner par les moyens de la science positive. Et cela, même si, de façon ambivalente, il n'eut de cesse de vouloir donner un contenu scientifique à sa doctrine.

Cette référence à la tragédie, Freud l'a inscrite dans l'histoire de la biologie darwinienne, laquelle sert de modèle métaphorique à tous ses travaux. Je dis métaphorique car je ne partage pas l'idée de certains biographes de Freud — Frank Sulloway notamment[7] — selon laquelle il serait un « cryptobiologiste » de l'inconscient. Il y a bien un ascendant de l'œuvre de Darwin sur Freud, mais cet ascendant fonctionne comme un mythe. Au fond, ce que Freud emprunte à Darwin n'est rien d'autre que ce qu'il emprunte à Sophocle : la tragédie de l'homme qui, après s'être pris pour un dieu, s'aperçoit qu'il est le descendant d'un singe et que, hormis le langage et la pensée, il n'est qu'un animal doué de raison.

On trouve chez La Fontaine, le libertin athée, soucieux d'un ordre naturel du monde, une définition de l'homme que n'aurait pas désavouée Freud, le darwinien, attaché à la théorie évolutionniste : « À l'égard de nous autres hommes, / Je ferais notre lot infiniment plus fort : / Nous aurions un double trésor ; / L'un cette âme pareille en tout-tant que nous sommes, / Sages, fous, enfants, idiots, / Hôtes de l'univers sous le nom d'animaux ; / L'autre encore une autre âme entre nous les anges[8]. »

Freud fut autant un penseur de l'irrationnel et de la déraison qu'un théoricien de la démocratie attaché à l'idée que seule la civilisation, c'est-à-dire la contrainte d'une loi imposée à la toute-puissance des pulsions meurtrières, permettait à la société d'échapper à une barbarie désirée par l'humanité elle-même.

7. Frank J. Sulloway, *Freud, biologiste de l'esprit,* Paris, Fayard, 1998.

8. Jean de La Fontaine, « Les deux rats, le renard et l'œuf » (qui se trouve à la fin du « Discours à Madame de la Sablière »), *Fables,* livre IX.

S'il ne fut jamais un grand lecteur de Sade, il partageait cependant avec lui l'idée que l'existence humaine se caractérise moins par une aspiration au bien et à la vertu que par la quête d'une permanente jouissance du mal : pulsion de mort, désir de cruauté, amour de la haine, volonté du malheur et de la souffrance. Pour cette raison, il réhabilita la belle idée selon laquelle la perversion est nécessaire à la civilisation en tant que part maudite des sociétés humaines et de l'homme lui-même. Mais, au lieu d'ancrer le mal dans l'ordre naturel du monde, comme le faisait Sade, et plutôt que de faire de l'animalité de l'homme le signe d'une infériorité raciale, comme le faisaient les sexologues, adeptes de la théorie de la dégénérescence, il préféra soutenir que seuls les arts, la civilisation et la culture étaient capables d'arracher l'humanité entière à sa propre volonté d'anéantissement.

À partir de 1909, date de son voyage outre-Atlantique, Freud fut à la fois reconnu comme un penseur d'envergure et haï par les tenants de toutes les religions, qui l'accusèrent de vouloir détruire les valeurs de la morale, puis par les adeptes des nationalismes, qui voyaient dans sa théorie l'expression d'un abaissement de la souveraineté patriarcale — et donc d'un effacement des frontières de l'autorité et de la loi —, et enfin par les représentants de toutes les dictatures, qui le soupçonnèrent de semer le désordre dans les consciences. Science boche pour les Français, science latine pour les Nordiques, science dégénérée pour les puritains anglophones, la psychanalyse fut taxée de science juive par les nazis et enfin de science bourgeoise par les staliniens.

Bourgeois conservateur et rebelle à la fois, Freud fut autant un penseur du désordre qu'un émancipateur des femmes, ce qui est paradoxal, puisqu'il resta, dans sa vie privée, attaché à un modèle classique de l'organisation familiale selon lequel la femme passe de l'état de fiancée à celui d'épouse, puis de mère. Cela lui vaudra les attaques incessantes des féministes, alors même que l'on sait aujourd'hui qu'il fut favorable à la contraception, à la liberté sexuelle et au travail des femmes, hostile à la virginité inutilement prolongée des jeunes filles. Comme Proust, dont il méconnut l'œuvre, il était convaincu que le seul objet d'amour véritable pour le sujet humain était la mère, toujours recherchée dans toute relation amoureuse. Et de même, il regardait l'homosexualité comme l'assurance d'une continuation du genre humain sans laquelle les hommes, soumis à un principe exclusivement masculin, se seraient exterminés.

Durant la deuxième moitié du vingtième siècle, la psychanalyse fut regardée comme une fausse science par les tenants des sciences dures, qui lui reprochèrent de ne pas être mesurable ou évaluable, puis de nouveau comme une science juive et communiste par l'extrême droite, et enfin comme une science satanique par les islamistes radicaux qui n'hésitèrent pas à traiter Freud de « sioniste », manifestant ainsi leur antisémitisme puisque justement Freud n'était pas sioniste. Quant aux représentants de l'extrême droite juive et israélienne, ils considèrent Freud comme un mauvais Juif, infidèle autant au judaïsme qu'à sa judéité, du fait qu'il fut très réservé quant à la création d'un État juif en Palestine. En un mot, pour les islamistes antisémites, Freud est un sioniste et donc un ennemi, et pour les Juifs nationalistes et communautaristes, il est un antisioniste et donc un ennemi. Sans doute cette détestation permanente demeure-t-elle le symptôme le plus puissant de la vérité subversive de l'invention freudienne ?

Pour paraphraser Jacques Derrida, je dirais volontiers que ce qui hante l'Occident aujourd'hui s'appelle « spectre de Freud » — similaire d'ailleurs au spectre de Marx[9]. Ce qui hante l'Occident, ce sont deux figures de la condition humaine dont Freud s'est fait le prophète laïque, en une sorte de continuité avec le judéo-christianisme : l'inconscient d'une part, la sexualité de l'autre, liées toutes deux à deux régimes d'historicité nécessaires à la construction d'une subjectivité. La figure ancestrale du destin archaïque, Œdipe, d'une part, c'est-à-dire la longue durée quasi intemporelle de la généalogie ; le désir, de l'autre, Hamlet, c'est-à-dire la culpabilité liée à la sexualité.

Il est très possible que l'apparition du « spectre de Freud » soit à la fois le signe d'un évanouissement de la psychanalyse et le symptôme de sa pérennité. En tant que forme accomplie d'un grand modèle de thérapie psychique fondée sur le dynamisme, elle est inscrite dans la longue durée d'une histoire qui tend à la transformer en une simple psychothérapie. Et en tant que système de pensée, elle a partie liée à un certain humanisme

9. Jacques Derrida, *Spectres de Marx*, Paris, Galilée, 1993.

philosophique qui postule que la subjectivité humaine puisse être rebelle à son propre enfermement.

L'idée que la psychanalyse n'est qu'un pur produit de l'esprit juif viennois relève d'un cliché. Et, pourtant, on sait bien que les contrecoups de la désintégration progressive de l'empire austro-hongrois firent de cette ville, comme le souligne Carl Schorske, l'un des « plus fertiles bouillons de culture a-historique de notre siècle[10] ». Rejetant les illusions de leurs pères, qui croyaient aux bienfaits du libéralisme, les fils de la bourgeoisie se tournèrent vers une nouvelle quête identitaire. Juifs pour la plupart, et parlant plusieurs langues, ils rêvèrent, les uns de la conquête d'une terre promise, les autres d'une possible régénération de l'homme par le retour aux grands mythes du passé : projet d'un État juif chez Theodor Herzl, déconstruction du moi chez Hugo von Hofmannsthal, reniement ou conversion chez les intellectuels habités par la haine de soi juive, culte d'une féminité transgressive ou encore « sécession » ou inversion des valeurs de l'art classique chez Robert Musil, Arthur Schnitzler, Gustav Klimt ou Gustav Mahler.

Bien qu'étranger à cette modernité, à laquelle il préférait l'art de la Renaissance ou de l'Antiquité gréco-latine, Freud fut marqué beaucoup plus qu'il ne le croyait lui-même par ce mouvement, ne serait-ce que dans sa conception d'un inconscient atemporel ou d'un psychisme structuré en topiques (le moi, le ça, le surmoi) : « C'est à lui que revient le mérite, disait Karl Kraus, d'avoir donné une organisation à l'anarchie du rêve. Mais tout s'y passe comme en Autriche. »

Freud n'ignorait rien du grand mouvement de régénération des Juifs inauguré par les pères fondateurs du sionisme : Theodor Herzl et Max Nordau. Il connaissait les hommes et les idées. Mais, bien qu'il n'eût jamais renié sa judéité, c'est-à-dire son sentiment d'appartenance non pas à la religion juive ou au judaïsme, mais à son identité de Juif sans dieu, de Juif de culture allemande —, il ne concevait pas que le retour à la terre des ancêtres pût apporter la moindre solution à la question de l'antisémitisme européen. Et c'est pourquoi, il préconisait le choix d'un autre territoire que celui des origines : un territoire

10. C. Schorske, *op. cit.*, p. 9.

neuf où l'on ne soit pas contraint de mener de nouvelles guerres de religions.

À cet égard, il eut l'intuition magistrale que la question de la souveraineté sur les lieux saints serait un jour au centre d'une querelle presque insoluble, non seulement entre les trois monothéismes, mais entre les deux peuples frères résidant en Palestine. Il redoutait à juste titre qu'une colonisation abusive ne finît par opposer, autour d'un bout de mur idolâtré, des Arabes antisémites à des Juifs racistes[11].

On ne trouve chez Freud aucune des grandes imprécations qui ponctuent les discours de Nordau sur l'avenir du « nouveau Juif ». Freud ne regardait pas les Juifs européens comme des êtres pathologiques, abâtardis par des siècles d'oppression. N'ayant jamais adhéré ni à la théorie de la dégénérescence, ni à la psychologie des peuples, il ne pensait pas que seul l'ancrage dans une terre était susceptible de doter les Juifs d'un corps biologique rénové ou d'un psychisme purifié de toutes les anciennes tares dues à leur abaissement.

Bien au contraire, il pensait qu'il y avait dans la judéité intellectuelle, détachée de ses racines religieuses ou communautaires, quelque chose de « miraculeux et d'inaccessible à toute analyse ». Ce quelque chose, ce « propre du Juif », il le décrira jusqu'à la publication de *L'homme Moïse et la religion monothéiste*[12], non pas comme une élection, mais comme un état transhistorique seul capable de conduire les Juifs à une véritable grandeur, c'est-à-dire à cette capacité inouïe d'affronter les préjugés de masse dans la plus haute des solitudes : « C'était seulement à ma nature de Juif que je devais les deux qualités qui m'étaient devenues indispensables dans ma difficile existence. Parce que j'étais juif, je me suis trouvé libéré de biens des préjugés qui limitent chez les autres l'emploi de leur intelligence. En tant que Juif, j'étais prêt à passer dans l'opposition et à renoncer à m'entendre avec la majorité compacte[13]. »

11. Élisabeth Roudinesco, *Retour sur la question juive,* Paris, Albin Michel, 2009.

12. Sigmund Freud, *L'homme Moïse et la religion monothéiste,* Paris, Gallimard, 1986.

13. Sigmund Freud, « Lettre aux membres de l'Association B'Nai B'rith », 26 mai 1926, *Correspondance*, Paris, Gallimard, 1966, p. 397-398.

La terre promise investie par Freud ne connaît ni frontière ni patrie. Elle n'est entourée d'aucun mur et n'a besoin d'aucun barbelé pour affirmer sa souveraineté. Interne à l'homme lui-même, interne à sa conscience, elle est tissée de mots et de fantasmes. Héritier d'un romantisme devenu scientifique, Freud emprunte ses concepts à la civilisation gréco-latine et à la *Kultur* allemande. Quant au territoire qu'il prétend explorer, il le situe dans un ailleurs impossible à cerner : celui d'un sujet dépossédé de sa maîtrise de l'univers, détaché de ses origines divines, immergé dans le malaise de son ego.

On comprend alors pourquoi Freud eut, sa vie durant, le souci, sans jamais y parvenir, que la psychanalyse ne fût pas assimilée à une « science juive », c'est-à-dire, selon lui, à une psychologie des particularismes. Il refusait que sa doctrine fût enfermée dans un ghetto. Et pour bien démontrer qu'elle ne relevait en rien d'un *genius loci,* il était prêt à tout, et notamment à confier à Carl Gustav Jung, c'est-à-dire à un non-Juif qu'il considérait comme antisémite, la direction de l'International Psychoanalytical Association (IPA) : « Nos camarades aryens nous sont bel et bien indispensables, écrit-il à Karl Abraham en 1908, sans quoi la psychanalyse serait la proie de l'antisémitisme[14]. »

Mais le plus étonnant, c'est qu'en 1913, quand Jung quitta le cercle freudien pour créer son propre mouvement, Freud, furieux et blessé, se laissa emporter. Pendant quelque temps, traversé par une sorte de crise de rejudaïsation imaginaire de sa doctrine, il déclara que seuls de bons Juifs, c'est-à-dire les disciples du premier cercle de la Mittel Europa, seraient capables, à l'avenir, de mener à bien la politique de la psychanalyse. Finalement, c'est à Ernest Jones, seul non-Juif du comité secret, que fut confiée la lourde tâche de diriger l'IPA.

On connaît la suite. En 1935, adepte de la thèse du « sauvetage » de la psychanalyse, Jones accepta de présider, à Berlin, la séance de la Deutsche Psychoanalytische Gesellschaft (DPG) au cours de laquelle les Juifs furent contraints de démissionner. Par la suite, la psychanalyse fut décrétée « science juive » par les nazis qui mirent en œuvre un véritable programme de destruc-

14. Sigmund Freud et Karl Abraham, lettre du 26 décembre 1908, *Correspondance, op. cit.*; Paul Roazen, *La pensée politique et sociale de Sigmund Freud,* Bruxelles, Complexe, 1976.

tion, non seulement de ses praticiens, mais de son vocabulaire, de ses mots, de ses concepts. Le qualificatif tant redouté par Freud ne s'appliqua qu'à sa doctrine et jamais aux autres écoles de psychiatrie dynamique fondées par des Juifs. Et c'est sans doute parce que la psychanalyse était la seule à revendiquer cet héritage d'une judéité sans dieu, détachée de ses racines, et donc patrimoine de l'humanité, qu'elle fut, en tant que telle, promise à l'extermination. Car quand on extermine le Juif parce qu'il est juif, on extermine l'homme lui-même.

Je voudrais maintenant, pour terminer, parler de la pensée politique de Freud autrement que ne l'ont fait les habituels commentateurs — par exemple Paul Roazen — qui ne voyaient souvent en lui qu'un conservateur un peu étriqué. Là aussi, il y a un paradoxe. Car Freud était à la fois conservateur et rebelle, attaché à la monarchie constitutionnelle et pourtant régicide.

Freud, on le sait, préférait la monarchie constitutionnelle anglaise à la souveraineté républicaine de l'an II instaurée par la Convention (24 juin 1793) : la première incarnait à ses yeux une culture de l'ego, un moi puritain capable de maîtriser ses passions, une droiture morale, une éthique de la contrainte ; l'autre au contraire représentait pour lui le territoire du ça, l'esthétique du désordre, de la libido et de la foule pulsionnelle ; en bref, une irruption de forces incontrôlables mais non dénuées de séduction. Le masculin d'un côté avec l'admiration pour Cromwell, le féminin de l'autre avec la fascination pour Charcot et les démonstrations de la Salpêtrière.

Au-delà de cette bipolarité entre l'Angleterre et la France, et de cette inscription de la différence des sexes dans ses choix culturels, Freud souligna sans cesse, de *Totem et tabou*[15] à *L'homme Moïse*, que le meurtre du père était toujours nécessaire à l'édification des sociétés humaines. Mais, une fois l'acte accompli, ladite société ne sort de l'anarchie meurtrière que si cet acte est suivi d'une sanction et d'une réconciliation avec l'image du père. Autrement dit, Freud croyait à la fois à la nécessité du meurtre et à celle de l'interdit du meurtre, à la nécessité de l'acte et à la reconnaissance de la culpabilité sanctionnée par la loi. Il affirmait que toute société humaine était

15. Sigmund Freud, *Totem et tabou*, Paris, Gallimard, 1993.

traversée par une pulsion de mort impossible à éradiquer, mais il soutenait aussi que toute société de droit suppose l'existence du pardon, du deuil, de la rédemption.

Sans doute peut-on déduire de cette position l'idée que la psychanalyse est à la fois régicide, puisqu'elle s'appuie sur cette thèse freudienne de la nécessité de l'acte meurtrier, et hostile à toute forme de mise à mort, puisque l'acte, même s'il se répète dans l'histoire des révolutions, doit être suivi d'une sanction qui tend à abolir la possibilité du crime et donc de l'exécution capitale.

De la même façon et pour revenir à ce qui définit les conditions de l'exercice de la psychanalyse dans le monde, on peut dire que celle-ci ne connaît ni patrie ni frontières, même si les formes de son implantation revêtent des traits propres aux cultures des pays qui l'adoptent. Elle n'est donc pas *souverainiste* par essence car elle ne reconnaît pas de souveraineté sacrée — de la nation ou du chef — même si, historiquement, ses modalités de transmission ont toujours eu pour support le principe des filiations ou des « successions apostoliques », comme disait Michael Balint[16], c'est-à-dire un système d'initiation au savoir et à la pratique qui s'opère entre un maître et son disciple à travers l'expérience de la cure didactique. C'est bien cependant parce qu'elle n'admet pas de souveraineté sacrée que la psychanalyse est une discipline qui suppose le déracinement du sujet face à lui-même, son décentrement, un exil intérieur qui passe par trois humiliations narcissiques : ne plus être au centre de l'univers, ne plus être en dehors du monde animal, ne plus être maître en sa propre demeure.

Directrice de recherches au département d'histoire de l'université de Paris VII, Élisabeth Roudinesco est également Visiting Professor de l'université Middlesex de Londres et Visiting Honorary Professor à Roehampton University. Depuis 2007, elle est présidente de la Société internationale d'histoire de la psychiatrie et de la psychanalyse.

16. Michael Balint, *Amour primaire et technique psychanalytique*, Paris, Payot, 1955.

Galilée, la science moderne et nous

Yves Gingras

Dans l'esprit du citoyen moyen, le savant italien Galileo Galilei incarne à lui seul la science moderne. Né à Pise le 15 février 1564, il meurt le 8 janvier 1642 à Arcetri, près de Florence, dans la demeure à laquelle il était confiné depuis sa condamnation par l'Église catholique en juin1633.

Les raisons qui ont fait de lui la première célébrité scientifique sont multiples. Il est le premier à perfectionner le télescope pour en faire un instrument d'observation scientifique et à annoncer en 1610, dans son ouvrage en latin *Sidereus Nuncius* (*Le messager céleste*), avoir découvert des satellites autour de Jupiter, des cratères et des montagnes sur la Lune, à une époque où la science officielle croyait ces astres parfaitement sphériques et cristallins, tournant tous autour de la Terre. De son vivant, il fut reçu en héros à Rome en 1611. Il ne fit tout de même pas l'unanimité parmi les savants en position officielle, d'autant moins qu'il faisait la promotion du système de Copernic selon lequel c'est le Soleil qui est au centre du monde et non la Terre. Sa découverte des phases de Vénus en 1610 constituait d'ailleurs la seule preuve irréfutable que cette planète tournait bien autour du Soleil et non de la Terre.

Par l'ensemble de ses découvertes, Galilée allait ainsi à la fois contre les enseignements de la Bible, de l'astronomie géocentrique de Ptolémée et de la philosophie d'Aristote. Cette dernière, révisée au Moyen Âge par le dominicain Thomas d'Aquin pour qu'elle soit compatible avec la religion catholique, était devenue une sorte de philosophie officielle difficile à critiquer. C'est d'ailleurs pour avoir publié, en 1632, son *Dialogue sur les deux grands systèmes du monde* que Galilée sera finalement accusé d'hérésie et condamné l'année suivante à la réclusion à vie par l'Église catholique pour avoir fait la promotion, en italien de surcroît et non en latin, la langue habituelle des savants, du système de Copernic. En le disant vrai et non pas seulement hypothétique, il avait défié un avis officiel de Rome qu'il avait reçu en 1616 et qui le sommait de ne parler de la théorie de Copernic que comme d'une hypothèse et non comme d'une description vraie du monde.

Ainsi, Galilée a non seulement fait la promotion d'une science fondée sur le calcul et les observations et non sur les seules lectures et commentaires des autorités officielles, comme cela était alors la norme dans les universités, mais il a aussi défendu l'autonomie de la science par rapport à la religion. Comme il l'écrivit à la duchesse Christine de Lorraine, en 1615, « l'intention du Saint-Esprit est de nous enseigner comment on va au ciel et non comment va le ciel » ! Si la religion bien comprise n'était pas en contradiction avec la science, il demeure, selon lui, que c'est la science qui dit la vérité sur le monde et non la religion. Dénonçant les esprits conservateurs qui le critiquaient en coulisse, il écrit : « Oubliant d'une certaine manière que la multiplication des découvertes concourt au progrès de la recherche, au développement et à l'affermissement des sciences et non pas à leur affaiblissement ou à leur destruction, et se montrant dans le même temps plus attachés à leurs propres opinions qu'à la vérité, ils en vinrent à prétendre déclarer que ces nouveautés n'existent pas, alors que, s'ils avaient voulu les considérer avec attention, ils auraient dû conclure à leur existence[1]. »

Non content de s'attaquer à ceux qui rejettent la science au nom des Écritures, il discute aussi de la constitution atomique de la matière, thèse rejetée par les aristotéliciens et qui est de plus incompatible avec le dogme catholique de la transsubstantiation[2].

---

1. « Lettre de Galilée à Christine de Lorraine Grande-Duchesse de Toscane (1615) », *Revue d'histoire des sciences et de leurs applications*, t. 17, nº 4, 1964, p. 339.

2. Pour plus de détails, voir Y. Gingras, « L'atomisme contre la transsubstantiation », *La Recherche*, nº 446, 2010, p. 92-94.

D'autres après lui suivront sa trace et observeront la nature pour la décrire et l'expliquer. Il suffit de penser à Isaac Newton en physique et à Charles Darwin en biologie, ce dernier introduisant, avec sa théorie de l'évolution par sélection naturelle, une révolution semblable à celle de Galilée et qui heurte encore de nos jours certains esprits religieux qui croient pouvoir subordonner la science à leurs convictions personnelles.

Pour une culture scientifique minimale

Il faut cependant aller au-delà de la mémoire des seuls noms propres de la science et connaître les grands principes de base qui ont été découvert au fil du temps et qui permettent de comprendre et même parfois de prédire les phénomènes observables. Bien sûr, on ne peut demander à « l'honnête homme » de se transformer en véritable expert dans l'ensemble des sciences, mais je crois que la connaissance d'un nombre limité de grands principes suffit amplement pour distinguer les explications plausibles de celles qui sont fantaisistes et distinguer ainsi le savoir de la pseudoscience. Il me semble en effet que la connaissance de six grandes lois, principes et phénomènes est essentielle à toute personne qui veut se diriger rationnellement dans notre monde technoscientifique sans tomber dans les pièges tendus par les courants pseudoscientifiques. On pourrait bien sûr peut-être en rajouter quelques-uns, empruntés au domaine des mathématiques, en particulier à la statistique, mais le but est ici de viser à un ensemble vraiment minimal de connaissances scientifiques desquelles on peut déduire, sans trop de calculs savants, et avec des mathématiques élémentaires, le maximum de conséquences pratiques. Ces six grands « principes » sont les suivants :

1) la constitution atomique de la matière
2) l'existence de forces électriques, magnétiques, gravitationnelles et nucléaires
3) la propagation d'ondes électromagnétiques de différentes fréquences
4) la loi de la conservation de l'énergie

5) la cellule comme unité de base de la vie
6) la loi de la sélection naturelle

Avant de les discuter brièvement, il faut toutefois ajouter un principe qui sous-tend toute la science moderne : les seules explications considérées comme scientifiques sont celles qui font intervenir des phénomènes naturels. C'est donc dire que toute « explication » par Dieu, un miracle, un fantôme, une énergie subtile (autrement dit indéfinie) ou un ange, est irrecevable d'un point de vue scientifique, même si sur le plan psychologique elle peut être attrayante et rassurante pour certains esprits.

Un atome absent n'a pas d'effet…

Commençons par la constitution atomique de la matière. Comme le suggérait déjà Galilée en reprenant les théories de Lucrèce, la matière est en fait constituée d'entités discrètes (les atomes) séparées par du vide. Et l'on sait depuis le début du vingtième siècle que ces atomes (sodium, carbone, oxygène, hydrogène, etc.) sont en fait constitués de particules plus petites : électrons, protons et neutrons. Pour les fins de la vie quotidienne, ces entités suffisent amplement et nul besoin de savoir qu'un proton et un neutron sont eux-mêmes constitués de « quarks » qui eux-mêmes échangent des « gluons » ! Ce qui compte en effet, c'est de savoir que la *matière* est faite d'atomes qui, réunis, forment des molécules. Et le mot « matière » englobe ici la matière vivante qui n'est, elle aussi, constituée que d'atomes. Ces atomes peuvent d'ailleurs être comptés et l'unité de base pour ce faire est le nombre d'Avogadro, du nom du savant italien qui en a proposé l'idée au début du dix-neuvième siècle. Ce nombre fixe la quantité d'atomes (ou de molécules) présents dans une certaine quantité de matière (la mole ou molécule-gramme). Sa valeur a été établie à 6,02 x 10^{23} molécules par mole du produit. Une mole d'eau (H_2O) pèse 18 grammes et contient donc ainsi 6,02 x 10^{23} molécules d'eau.

Tout cela semble bien théorique, mais une conséquence directe de ce fait est qu'un produit quelconque présent dans une solution disparaît complètement après une série de seulement 12 dilutions de 1/100. Dans le langage de l'homéopathie, une telle dilution de 1/100 (ou 10^{-2}) est dite « centésimale hahnémanienne » et notée **CH**. Un produit homéopathique sur lequel est inscrit « 20**CH** » est donc un produit dilué 20 fois à 1/100 soit 20 fois 10^{-2}, soit 10^{-40}. Si la solution contenait une mole du produit actif (disons de l'arsenic !), on en déduit qu'avec un **CH** de 12 ou plus, il n'y a en fait plus d'atome d'arsenic dans la solution ! Car si on avait au départ une mole d'arsenic soit 6,02 x 10^{23} atomes réels, et qu'on l'a diluée plus de 12 fois, alors on a divisé le nombre initial de molécule par 10^{-24} et il ne reste alors plus de molécules du tout ! Par contre, si la matière était continue, alors même une très grande dilution laisserait une quantité infinitésimale du produit. Mais comme la matière est en fait constituée d'atomes, il n'y a pas de dixième ou de centième d'atome et la dilution a des limites fixées par le nombre d'Avogadro. Une façon simple et intuitive de comprendre ce phénomène est de diluer de façon répétée un litre de vin rouge dans l'eau en prenant à chaque fois seulement 1/100 de la solution obtenue et en la mélangeant à 0,99 litres d'eau pour obtenir un nouveau litre dilué, dont on prendra encore 1/100 pour le mélanger à 0,99 litre d'eau et ainsi de suite. Il est clair qu'après seulement 3 ou 4 dilutions, il reste seulement 10^{-6} ou 10^{-8} litres de la solution initiale de vin rouge dans le litre d'eau, soit respectivement un cent millième et un dix millionième du litre de vin initial, quantité infime qui n'est plus rouge du tout et qui goûte l'eau… Si on remplace le vin par l'arsenic et on dilue 15 ou 20 fois de 1/100, on comprend alors que le produit n'aura aucun effet car il ne contient plus un seul atome d'arsenic ! En d'autres termes, les « hautes dilutions » *de quoi que ce soit* — et certains produits sont dilués à hauteur de 200CH soit 10^{-400} — ne contiennent, du point de vue de la chimie moderne, *aucun* produit actif. Ces « hautes dilutions » n'ont donc aucun effet secondaire néfaste, comme s'en vantent ceux qui les vendent, pour la simple raison qu'elles n'ont pas d'effet… primaire. L'absence d'une molécule ne peut pas produire d'effets.

Pas de communication sans ondes électromagnétiques ou sonores…

S'il faut en général de la matière (des molécules) pour produire des effets, il existe aussi d'autres entités capables de produire des effets, ce sont les champs. En plus de la matière, il y a en effet quatre champs (ou forces) qui influent sur le mouvement de la matière : les champs électriques, magnétiques, gravitationnels et nucléaires. L'électricité est aujourd'hui omniprésente, comme le sont les petits aimants sur nos réfrigérateurs. La force gravitationnelle est celle qui nous tient au sol, fait tomber les pommes et permet aux astronautes de marcher sur la Lune. Enfin, moins évidentes, les forces nucléaires sont celles qui tiennent ensemble les noyaux des atomes (protons et neutrons). En plus de leur forme statique (pensons à l'électricité statique qui nous fait prendre des chocs électriques et qui fait hérisser les cheveux sur la tête), les champs électriques et magnétiques prennent aussi la forme dynamique d'ondes électromagnétiques qui se propagent dans l'espace à la vitesse de la lumière. Le spectre de ces ondes couvre toutes les couleurs du visible (pensons à l'arc-en-ciel) mais s'étend aussi en deçà vers les ondes radio et les micro-ondes (maintenant emprisonnés dans nos fours !) et au-delà vers l'ultraviolet qui fait bronzer la peau mais cause aussi le cancer. Ce sont ces mêmes ondes électromagnétiques de diverses longueurs qui servent à la communication wi-fi entre ordinateurs ou téléphonique entre personnes. De nos jours, on baigne littéralement dans un environnement électromagnétique qui permet aux passants d'être toujours connectés à leur cellulaire ou leur ordinateur. Ce sont ces ondes qui font aussi l'objet de controverses en raison de leurs possibles effets sur la santé.

En résumé, pour la science moderne, rien n'agit sans la présence de matière ou de champs. Ainsi, toute communication à distance doit utiliser la propagation d'ondes électromagnétiques (ou d'ondes sonores, mais ces dernières ne vont généralement pas très loin). C'est donc dire aussi qu'aucune preuve n'existe de communication « extra-sensorielle » et que ceux qui disent communiquer avec les morts, ou prétendent lire dans les pensées de personnes éloignées misent sur la naïveté et l'ignorance de leurs « clients ».

Comment maigrir en appliquant la loi de conservation de l'énergie…

Une contrainte fondamentale qui s'applique à l'ensemble de l'univers est la loi de la conservation de l'énergie. Et depuis qu'Einstein a énoncé sa fameuse loi $E=mc^2$ qui montre que la matière est aussi une forme d'énergie, cette loi fusionne en quelque sorte la vieille loi de la conservation de la matière des chimistes et la loi de conservation de l'énergie formulée au milieu du dix-neuvième siècle par les physiciens. En somme : rien ne se perd, rien ne se crée, tout se transforme. Sur le plan pratique, cette loi universelle est importante car elle permet de déduire que si vous prenez du poids, c'est que vous ingurgitez plus de calories que vous n'en brûlez et que la seule façon de maigrir est de manger moins ou de brûler davantage de calories que vous n'en absorbez. Il n'y a pas d'autre solution à moins de croire aux miracles. La loi de conservation de l'énergie étant universelle, elle s'applique à notre corps vivant, et à tout mouvement dans la nature. Ainsi, si on veut vous vendre une machine à mouvement perpétuel qui produit toujours plus d'énergie qu'elle n'en consomme, alors vous pouvez conclure que vous êtes victime d'une arnaque. De même, ceux qui croient qu'on pourra aller sur la Lune pour en extraire des métaux et les rapporter sur Terre, devraient calculer la quantité d'énergie qui sera nécessaire à ces expéditions avant de penser que cela sera un jour rentable…

Darwin et la résistance aux antibiotiques

Jusqu'à maintenant, les grandes lois invoquées sont des lois générales de la matière. Or, comme la matière est faite d'unités de base, les atomes, les êtres vivants sont aussi constitués d'unités de base : les cellules. Les organismes sont ainsi composés de cellules dont les parois définissent un intérieur où on trouve, entre autres structures, un noyau, dont le fameux ADN renferme l'information pour réguler le développement de la cellule.

Au niveau macroscopique du développement des organismes, il existe une loi fondamentale énoncée au milieu du dix-neuvième siècle par le naturaliste britannique Charles Darwin : la loi de la sélection naturelle. Darwin a fait scandale en appliquant cette loi à l'évolution humaine et non seulement aux plantes et aux animaux. Bien que des esprits religieux rejettent encore la théorie de l'évolution, tous les travaux de la génétique ont clairement montré l'unité du vivant et le fait que les humains ont de nombreux gènes en commun non seulement avec les singes mais aussi avec les insectes, ce qui est compatible avec une évolution continue de l'ensemble des êtres vivants.

Le principe de la sélection naturelle est en fait d'une grande simplicité : les transformations des espèces s'expliquent par le fait que seuls les individus qui survivent à leur environnement se reproduisent. Or, les caractéristiques des différents individus d'une même espèce sont souvent différentes sous certains aspects et il arrive qu'un environnement soit hostile à la survie d'une partie de l'espèce ne possédant pas ces caractéristiques rares. Celle-ci meurt donc et ne restent et ne se reproduisent que les individus qui ont les caractéristiques requises pour survivre dans le nouvel environnement. Chaque génération introduit de nouvelles variations dans les traits des organismes grâce aux mutations et autres processus naturels. La vitesse du changement des espèces est ensuite largement tributaire de la vitesse de leur reproduction et du changement de leur environnement. On sait aujourd'hui que ces changements dans les traits sont dus à des changements dans le code génétique (l'ADN) des cellules. Bien qu'on ait tendance à penser que l'évolution ne se produit que sur le très long terme, en fait les espèces à reproduction très rapide peuvent évoluer rapidement. C'est ce que font les microbes, organismes qui sont souvent des unicellulaires (formés d'une seule cellule), alors que d'autres sont multicellulaires. En effet, le cas le plus visible d'évolution par sélection naturelle est probablement celui de la résistance accrue des bactéries aux antibiotiques. Comme dans toute population, les bactéries d'une même espèce diffèrent sous certains aspects et sont donc plus ou moins résistantes à un environnement donné. L'usage des antibiotiques tue l'écrasante majorité de ces bactéries qui nous infectent, mais laisse parfois survivre une toute petite minorité d'individus plus résistants jusque-là noyés dans la majorité. Ces derniers ont donc la voie libre pour se reproduire allègrement, donner lieu à leurs propres variations à partir de leurs traits déjà avantageux et donner naissance à une population plus résistante que l'ancienne. Cet effet pervers des antibiotiques et autres produits chimiques anti-germes est ainsi une conséquence de la sélection naturelle qui est visible sur une période relativement brève. Cette loi fondamentale établie par Darwin ne s'applique donc pas seulement aux singes, mais bien à toutes les espèces vivantes, et elle est essentielle à quiconque veut comprendre l'histoire du monde vivant.

Ces quelques exemples de conséquences pratiques tirées des savoirs accumulés par la science moderne ne visent qu'à convaincre que, sans la connaissance de ces grandes lois de la nature, établies lentement et laborieusement par des générations de scientifiques depuis Galilée, il est impossible de bien comprendre le monde dans lequel on vit et de prendre des décisions rationnelles à la lumière de l'ensemble des connaissances positives accumulées.

Tout comme la capacité de lire et d'écrire a été, depuis le dix-neuvième siècle, considérée comme essentielle à tout citoyen vivant dans une société démocratique, car nécessaire à l'exercice d'un jugement éclairé, de même, une connaissance des bases de la science moderne est devenue essentielle au citoyen éclairé du vingt et unième siècle qui vit dans un monde constamment transformé par les sciences et les technologies. Car pour participer de façon éclairée aux choix futurs, les citoyens devront savoir *lire* les phénomènes scientifiques et technologiques, à défaut de pouvoir toujours eux-mêmes les *écrire*, c'est-à-dire les découvrir.

Yves Gingras est professeur d'histoire des sciences à l'université du Québec à Montréal. Il a entre autres publié Éloge de l'homo techno-logicus *(Fides, 2005) et* Parlons sciences *(Boréal, 2008).*

La Grande Guerre

Carl Bouchard

Il y a d'abord ces chiffres à donner le tournis, accolés à des noms dont l'écho de la souffrance résonne encore aujourd'hui. Verdun : entre février et décembre 1916, périrent autour de ce saillant d'une superficie trois fois plus petite que l'île de Montréal, 300 000 soldats, Français et Allemands confondus. Seul un sur cinq a pu être identifié. Plus de 400 000 autres furent blessés. Rapportés sur la durée totale de la bataille, les quelque 700 000 morts et blessés équivalent à près de 2500 pertes *par jour.* Se sont abattus sur les combattants de Verdun plus de 20 millions d'obus, soit environ un par mètre carré de champ de bataille; il en explosait dix par seconde sur les troupes françaises au premier jour de l'assaut. De nombreuses années après la fin de la guerre, la terre, gorgée de corps d'humains et d'animaux déchiquetés, de métal, d'obus chimiques, resta impropre à l'agriculture. Cette bataille titanesque a donné naissance à un nouveau mot : le processus par lequel les plans d'eau infectés par les corps en décomposition sont assainis par le chlore s'appelle désormais la *verdunisation.*

Il y a les décombres. Annuellement, plus de 1000 tonnes d'obus et de grenades non explosés entre 1914 et 1918 sont récupérées par les démineurs français et belges. Ces pièces sont laissées sur les bords de route par les agriculteurs, les passants ou les collectionneurs qui s'aventurent dans les champs à la recherche d'un shrapnel ou d'un éclat d'obus. En juillet 1992, une jeune fille belge qui passait quelques jours dans un camp de vacances a perdu la jambe gauche lorsqu'un obus britannique enfoui depuis 1918 a soudainement explosé sous elle : à l'âge de neuf ans, trois quarts de siècle après l'armistice, elle est devenue la plus vieille mutilée de la guerre 14-18.

Ici même, au Québec, à plusieurs milliers de kilomètres des combats, des traces en rappellent la mémoire : noms de voies publiques (une trentaine uniquement à Montréal), plaques commémoratives, monuments, cérémonies, sans compter les récits familiaux qui traversent les générations. Dans le quartier Villeray, toute une série de rues ont été renommées dès novembre 1914 suite à l'invasion de la Belgique et du nord de la France par les troupes allemandes, témoignant de l'immense mouvement de solidarité né de la guerre et de la mobilisation à venir : avenue des Belges, rue de Louvain, de Lille, de Liège. À l'université de Montréal, peu d'étudiants à qui j'enseigne l'histoire de la première guerre mondiale savent que le pavillon où ils se trouvent, Jean-Brillant, a été nommé en l'honneur de l'un des deux Canadiens français récipiendaires de la Croix de Victoria en 1918. Dans le parc adjacent du même nom, un monument rappelle les faits d'armes qui lui ont valu, deux jours après sa mort, la plus haute distinction militaire de l'empire britannique.

Chiffres, vestiges, traces publiques et mémoire comptent beaucoup quand il s'agit de rappeler pourquoi la Grande Guerre est unique dans notre histoire récente et que l'on doit la connaître près d'un siècle plus tard. Objet d'étude foisonnant, elle reste pourtant un mystère à plusieurs égards. Autant cette guerre est relativement proche de nous temporellement — deux, trois, quatre générations au maximum —, autant le monde dans lequel nous vivons n'a semble-t-il plus rien à voir avec celui qui a perdu une partie de lui-même durant ces quatre années, comme l'a magistralement décrit Stefan Zweig dans son autobiographie au titre si évocateur, *Le monde d'hier*. Ce sentiment d'étrangeté est pour une bonne part dû à la difficulté grandissante que nous avons, le temps passant et les tout derniers témoins directs disparus, à donner un sens à cette guerre qui ne se résumerait pas à la plus totale absurdité. Nombre de questions restent en effet en suspens : on a beau connaître à la minute près les actions des hommes politiques et des diplomates à la veille du conflit, on ne parvient pas encore à complètement circonscrire les raisons profondes qui ont poussé les États européens au bord du suicide collectif, entraînant dans cette spirale meurtrière la majorité des peuples extra-européens, de gré ou non. De même, il semble de plus en plus difficile d'imaginer pourquoi et comment des millions d'hommes ont pu des années durant endurer la pénible vie des tranchées et la mort de masse — rappelons que la guerre a fait environ neuf millions de victimes, presque toutes militaires. L'historien James Joll, dans un texte aussi court qu'éclairant sur les origines du conflit paru en 1968, a dit que le défi des historiens était justement, pour saisir au mieux les forces et les motivations qui ont agi au début de la guerre et qui lui ont donné pour ainsi dire sa personnalité, d'en décrypter les *unspoken assumptions*, autrement dit de s'intéresser à ce qui est si évident qu'il est passé sous silence, à ces idées largement non dites car admises et intériorisées, relevant pour une bonne part du sens commun et de la culture, et qui ont déterminé l'action. C'était pour lui la seule façon de s'approcher au plus près de ce qui nous échappe chaque jour davantage, et peut-être ainsi de comprendre encore mieux comment 14-18 a enfanté le siècle à suivre.

Depuis plus de vingt ans, la recherche sur la première guerre mondiale, dans la foulée de l'histoire culturelle, a pris à bras-le-corps l'appel de Joll, avec comme résultat que la Grande Guerre est aujourd'hui l'un des sujets les plus courus de la recherche en histoire contemporaine, bien au-delà de son aspect strictement militaire. Cela a mené à un déplacement de point focal, portant l'attention non plus seulement sur les décideurs mais aussi, et surtout, sur les humbles individus qui prirent part à la guerre. En amont, il a nécessité un renouvellement des sources. Correspondance entre le front et l'arrière, journaux personnels et de tranchées, production culturelle au sens large (littérature, musique, peinture, architecture — notamment celle des monuments aux morts), littérature destinée aux enfants, dessins et écrits des enfants eux-mêmes, médias et publicité, objets de guerre, langage, etc. : recentrer la recherche sur des sources en apparence anodines, émanant de tout un chacun, mais qui avaient été jusqu'à présent négligées, a jeté un nouvel éclairage sur l'« expérience » que fut la guerre, sur la façon dont elle fut vécue et ressentie par les contemporains, combattants et non-combattants, individuellement et collectivement. L'enseignement a forcément suivi le mouvement : il semble désormais impensable de se cantonner dans un récit strictement chronologique de la guerre axé sur les actes politiques et diplomatiques et les grandes batailles. Au contraire, enseigner la Grande Guerre, c'est opérer une manœuvre d'« immersion » des étudiants dans le conflit, c'est tenter de leur faire ressentir ce qu'elle a pu être, de les approcher un tant soit peu de la vie à l'époque, dans les tranchées, dans une usine, à la maison. Cette immersion, tout en révélant la part d'unicité que constitue l'événement, ouvre également à la part d'universalité qu'il recèle : étudier la Grande Guerre, c'est aussi comprendre comment des gens ordinaires agissent et réagissent dans ces circonstances extraordinaires, et décrypter les mécanismes sociopolitiques — pensons par exemple à la propagande moderne, née de 14-18 — qui encadrent et régissent parfois leurs comportements.

À cette fin, l'étude de la violence de guerre constitue l'un des vecteurs les plus puissants. Les travaux des dernières années ont mis l'accent sur les ambivalences de l'acte meurtrier que légitime la guerre, sur le moral des combattants, sur la « brutalisation » des sociétés européennes qui aurait engendré le fascisme et le nazisme, mais aussi sur les effets directs de la violence, notamment le *shell shock*, phénomène de choc posttraumatique diagnostiqué pour la première fois à l'époque. En France, une querelle historiographique d'une rare intensité a vu le jour autour d'une question apparemment banale liée à la violence de guerre : pourquoi et par quels moyens, a demandé Jean-Jacques Becker à la fin des années 1970, les soldats français ont-ils « tenu » pendant les cinquante-deux mois du conflit ? Autrement dit, comment ont-ils pu endurer une telle violence, subie (conditions de vie, mortalité et blessures, humiliations, promiscuité, dérèglements du rythme de vie, etc.) et donnée (de la mort anonyme des obus et des mitrailleuses au combat rapproché au couteau, grenade et baïonnette) ?

Par ricochet, la réponse à la question posée par Becker a permis de sonder encore plus profondément les *unspoken assumptions* qu'évoquait Joll. Pour certains historiens, les soldats ont tenu parce qu'ils ont consenti à la violence au nom de la survie de leur nation et d'une conception fortement intériorisée du devoir et du sacrifice; en fait, disent ses plus ardents promoteurs, c'est l'horreur indicible de la guerre et le pacifisme qui s'ensuivit qui nous a fait oublier ou nier que les hommes qui ont combattu en 14-18 *adhéraient* à la violence. S'ils ont tenu, c'est donc parce que cette violence était largement acceptée et qu'elle n'a jamais véritablement été remise en cause (malgré certains épisodes de refus de combattre). Pour d'autres historiens, les hommes ont peut-être consenti à la violence au début de la guerre, alors qu'on l'imaginait courte, mais ce consentement a rapidement faibli à partir du moment où les belligérants sont entrés dans une logique de guerre longue et d'usure. Dès lors, c'est le système militaire, l'État, la pression des pairs et celle de la société, par un ensemble complexe de contraintes physiques et psychologiques, qui ont obligé les hommes à tenir. Ainsi, la violence aurait été essentiellement subie par les soldats et très rarement acceptée; déduire le consentement de l'obéissance exigée par un système contraignant serait tout bonnement une erreur.

Cette confrontation historiographique entre un groupe que l'on a schématiquement qualifié par le terme de «consentement» et l'autre par celui de «contrainte» a non seulement généré une production historique considérable, mais elle a aussi mené à des réflexions particulièrement stimulantes sur les ressorts du nationalisme et sur les mécanismes d'endoctrinement (notamment par l'école) et de contrôle de la population. Or, si de tels dispositifs se manifestent dans la plupart des pays en guerre, c'est parce que le conflit a nécessité la participation de tous les citoyens. La Grande Guerre est en effet interprétée comme l'un des premiers exemples, voire le premier, d'une guerre «totale» (bien que l'on nuance aujourd'hui fortement ce qualificatif). À partir du moment, c'est-à-dire au cours de l'année 1915, où il est devenu clair qu'elle ne pouvait se gagner par une bataille décisive, les États ont pris conscience que la victoire ou la défaite dépendait des ressources nationales mises à disposition de l'appareil de guerre. Une étape décisive dans l'histoire des structures politiques a alors été franchie : contrôle de l'économie, de la main-d'œuvre, de l'approvisionnement et de la production; immenses campagnes de financement public;

fiscalité adaptée; recherche scientifique mise au service de la destruction; contrôle serré de l'information et censure pour éviter toute baisse de moral; efforts de mobilisation mentale de tous les hommes, femmes, enfants, personnes âgées. En d'autres termes, par la guerre, les États modernes ont momentanément touché du doigt l'étendue des pouvoirs qu'ils pouvaient s'arroger, et la capacité non plus théorique mais réelle qu'ils avaient désormais d'investir l'ensemble des sphères de la société.

Il est difficile pour les héritiers que nous sommes de comprendre comment des sociétés entières ont pu se lancer dans une guerre pour des raisons qui nous apparaissent si lointaines, pour ne pas dire futiles, surtout au regard des lourdes conséquences démographiques, politiques, culturelles, économiques qu'elle a engendrées. Les efforts de renouvellement des relations internationales après la guerre, entre autres par l'établissement de la Société des Nations, la soif de paix qui a embrasé des citoyens du monde entier, l'effervescence idéologique de l'entre-deux-guerres qui a mené à une plus terrible confrontation quelque vingt ans plus tard : tout cela montre à quel point la secousse a été terrible, et l'on peut admettre avec l'historien John Horne que la Grande Guerre est le « premier traumatisme collectif du monde contemporain », un *shell shock* à la grandeur d'une civilisation dont on mesure toujours aujourd'hui les effets. Sous bien des aspects, 14-18 constitue bien la matrice du monde contemporain.

Professeur agrégé au département d'histoire de l'université de Montréal, Carl Bouchard travaille principalement sur l'idée de la paix au vingtième siècle. Il a notamment publié Le citoyen et l'ordre mondial. Le rêve d'une paix durable au lendemain de la Grande Guerre *(Pedone, 2008).*

Homère pour tous

Marie-Andrée Lamontagne

Les foules de tous âges mais à l'esprit d'éternel adolescent qui se pressaient au cinéma à l'été 2004 pour voir *Troy* soupçonnaient-elles que l'argument du film de Wolfgang Peterson, conçu pour faire recette au box-office, avec un Brad Pitt tout en cheveux, un Orlando Bloom à la gueule d'ange, exécutant avec conviction leurs féroces cascades, n'était pas exactement le fruit des élucubrations d'un pool de scénaristes comme Hollywood a l'habitude de les recruter, pas plus qu'il n'était sorti du cerveau surchauffé en permanence de quelque *whiz kid* nourri à la mamelle de jeux vidéos ? Savaient-elles, ces foules, tout ce que le film devait à une pioche opportune sur le rayon le plus ancien de l'imposante bibliothèque que constitue la littérature occidentale pour en extirper, dans toute leur fraîcheur, les deux longs poèmes épiques qui l'ont fondée il y a plus de 2800 ans ?

Non, bien sûr. Du moins, pas assez, même si les sources apparaissent au générique du film. Ce qui rend la trahison d'autant plus aisée. Il te faudra donc, lecteur, prendre la question à rebours, balayer *Troy – the Movie* du revers de la main et commencer par le début, c'est-à-dire par la lecture de l'*Iliade* et de l'*Odyssée* (il en existe d'excellentes traductions en français, en prose ou en vers), en acceptant de te perdre dans ces vastes demeures poétiques de douze à seize mille vers, disposés en vingt-quatre chants, de manière à acquérir une connaissance plus juste de celui que tu es, mortel, fragile et grand, à l'encontre de l'air du temps qui voudra trop souvent faire de toi un être éternel, original et prodigieusement intéressant. Pour ce faire, tu te laisseras subjuguer par les fables ô combien vraies, recueillies, transformées ou inventées, chaque fois admirablement mises en forme par un certain aède — ainsi désignait-on, dans l'Antiquité, celui qui agrémentait de ses récits les banquets des princes en s'accompagnant à la lyre —, aède formidablement doué et fameux que l'on convint très tôt d'appeler Homère.

On sait maintenant qu'entre les douzième et huitième siècles avant Jésus-Christ, les aèdes étaient nombreux à répondre aux désirs des commensaux en évoquant la guerre de Troie. La citadelle de Troie (*Ilion*, en grec) était située en Asie mineure, soit l'actuelle Turquie. Ce qu'on appelle la guerre de Troie est l'exagération poétique d'un conflit qui opposa les Achéens (suivant l'un des noms donnés aux Grecs dans l'*Iliade*) et les Troyens, pour leur part rattachés à l'empire hittite, alors affaibli mais qui avait dominé la région au quatorzième siècle. Non sans en débattre encore, les historiens situent aujourd'hui la guerre de Troie vers 1180 av. J.-C. Le siège, la prise, puis le sac de la ville par les Achéens auraient pu demeurer l'un des épisodes belliqueux qui constituaient l'ordinaire des peuples dans l'Antiquité. Pourquoi cette expédition parmi d'autres a-t-elle frappé l'imagination des Grecs et donné naissance à tout un cycle de poèmes narratifs inspirés par cette guerre ? Le devin Tirésias lui-même n'aurait su le dire. Il n'en demeure par moins que les poèmes sur le sujet se sont multipliés, faisant durer le siège dix ans, suivis de dix autres années pour le retour au foyer de certains guerriers, entourant les causes de l'affrontement d'une aura fabuleuse et mythologique (le jugement de Pâris, le rapt d'Hélène) jusqu'à faire de la guerre de Troie, aux yeux des Grecs de l'époque classique, le point de départ de leur civilisation, à laquelle nous autres Occidentaux devons tant, Europe et Amériques confondues.

D'autres sujets à caractère mythologique étaient également abordés dans ces cycles de poèmes que les Anciens, déjà, attribuaient le plus souvent à un aède aveugle appelé Homère. Ce corpus de poèmes est aujourd'hui en grande partie disparu, à l'exception de fragments, de résumés et des deux monuments que nous savons. L'*Iliade* et l'*Odyssée* — et c'est bien pourquoi, outre leurs qualités formelles, ils appartiennent à la littérature

— ne cherchent pas à raconter la guerre de Troie en tant que telle. L'*Iliade* saisit le siège de Troie à un moment critique, alors que les flèches d'un Apollon mécontent déciment l'armée grecque, et le poème se termine sans que soit précisée l'issue du conflit. Le poème s'ouvre sur une colère fameuse, celle d'Achille, le plus valeureux des guerriers grecs, que son chef, Agamemnon, prive d'une captive de choix, Chryséis aux belles joues, avec l'intention de la mettre dans son lit, ainsi dit le poète, avant de consentir de mauvaise grâce à la rendre à son père, prêtre d'Apollon. « Ivrogne, regard de chien, cœur de cerf » : les injures d'Achille à l'endroit de son chef n'ont que faire de la hiérarchie. Et le voilà qui boude sous sa tente, refuse de combattre, ce qui arrange les Troyens pendant un temps. Quand est tué Patrocle, l'ami cher qui a voulu le remplacer au combat, en revêtant son armure, histoire de galvaniser les troupes, Achille est fou de douleur. Et c'est ce chagrin profond, né d'une amitié profonde qui, succédant à la colère, le jette à nouveau dans la bataille, lui fera tuer le Troyen Hector, fils du roi Priam, et outrager son cadavre de façon telle que même ceux des dieux qui ont pris parti pour les Grecs s'en offusqueront.

La vision de l'*Iliade* est tantôt panoramique et collective, tantôt microscopique. C'est le catalogue des vaisseaux au chant II, impressionnante énumération des forces grecques en présence, et dont Tolkien, en le mâtinant de mythologies nordiques comme dans tout le cycle du *Seigneur des anneaux*, n'a pas manqué de s'inspirer au moment de montrer les légions du vilain Sauron massées devant la cité blanche de Minas Tirith. C'est Zeus qui puise dans des jarres, indifféremment, les biens et les maux à répandre sur les hommes, jouets des dieux, lesquels du haut de l'Olympe choisissent leur camp, quand ils ne descendent pas dans la mêlée, pour combattre aux côtés de leurs protégés. Sous le regard d'Homère, chaque mortel, comme est appelé l'être humain, est rendu dans sa singularité, à l'instant de la mort comme au plus frémissant de la vie, avec les passions, les blessures, les attachements et les rêves d'une éphémère existence. Hélène, qui se promène, le soir venu, sur les remparts de Troie, avec les vieillards de la ville inaptes au combat, n'aperçoit-elle pas, tout en bas, la nuque blonde, ainsi dit le poète une fois de plus, de Ménélas, l'époux trompé qui a levé une armée pour ramener l'infidèle ? Ah comme elle paraît vulnérable cette chair pâle que ne protège pas le casque, et bien terrible la folie d'Aphrodite, qui entraîne irrésistiblement une femme loin de son mari ! Hector, faisant ses adieux à Andromaque avant d'aller mener un combat décisif, Hector tout harnaché, effraie leur enfant qui refuse d'embrasser son père, et se réfugie dans les bras de sa nourrice. Le geste tire à Andromaque un rire mouillé de larmes, celles de l'exil et de la captivité qui attendent, au mieux, les femmes des vaincus, sur quoi rêvera Baudelaire au dix-neuvième siècle de notre ère, dans un poème sur le temps qui passe, bouleversant, bien connu des lecteurs de poésie : *Andromaque, je pense à vous…* (« Le cygne »).

Si l'*Iliade* est collective, l'*Odyssée* est individuelle. Le poème raconte les errances d'Ulysse (*Odysseus*, en grec) qui, la guerre finie, voudrait bien rentrer chez lui, à Ithaque, mais en est empêché par la colère du dieu Poséidon, dont il a aveuglé le fils, Polyphème. Certes, Ulysse est un guerrier courageux, mais à la force brute, il préfère cette forme d'intelligence faite de ruse, d'ingéniosité et de finesse que les Grecs appellent *mètis*. Et c'est cette intelligence qui, souvent sous les traits de sa complice Athéna, lui dicte les gestes à faire dans l'adversité, au milieu des embûches. Admirez maintenant le savoir-faire du poète qui a conçu son poème de manière non linéaire, comme une suite proprement vertigineuse de récits enchâssés et de mises en abyme : accueilli au banquet des Phéaciens, sans dévoiler son identité véritable, Ulysse, au chant VIII, pleure quand l'aède chante une ancienne querelle avec Achille, et il pleure de nouveau quand il évoque la douleur de la Troyenne voyant périr son époux. Quoi ? Il serait donc parti depuis si longtemps que les poètes auraient eu le temps de mettre en récits les faits d'armes devant Troie ? Ce ne seront pas les seules larmes versées par le héros. Ulysse pleure et se rebiffe quand la magicienne Circé lui enjoint de descendre au royaume des morts, s'il veut accomplir avec quelque succès le périple qui doit le ramener chez lui. Il a raison de craindre l'épreuve : la vue de cohortes d'ombres dans l'Hadès est éprouvante, moins cependant que l'étreinte qu'à trois reprises il tente — en vain — d'avoir avec celle de sa mère, morte de chagrin, apprend-il alors, pendant son absence.

Il n'empêche, ce n'est pas sur les soupirs, les larmes, les langueurs et l'entêtement d'Ulysse que s'ouvre l'*Odyssée*, mais sur le désarroi de l'adolescent Télémaque, en pleine crise d'identité, qui s'exaspère de voir les prétendants au trône de son père et au lit de sa mère s'incruster au palais, sans pouvoir les en chasser. C'est en voyant enrager ce fils, trop jeune pour s'imposer, trop vieux pour ignorer ce qui se passe, chercher conseil auprès d'anciens, que l'on comprend pourquoi Homère a pu apparaître aux contemporains de Platon comme l'éducateur de la Grèce. Ce n'est pas seulement parce que les petits écoliers grecs des périodes classique et hellénistique, suivant l'éducation qui devait faire d'eux des hommes (*paideia*), étaient réputés pouvoir réciter par cœur l'*Iliade* et l'*Odyssée* qu'Homère se voit conférer un tel statut, mais bien parce que ces poèmes sont tout à la fois récit de formation, école de courage, leçon de vie, manuel d'instruction civique. Un adolescent en colère cherche son père et ne le trouve pas. Y a-t-il sujet plus intemporel et vrai ? Le procès en fausseté que Platon, dans la *République*, fait aux poètes dans leur ensemble et à Homère en particulier, tous faiseurs de simulacres de vérité, non de la Vérité elle-même, ce qui conduit à leur exclusion de la Cité, n'est concevable que sur le plan des idées. Dans les cœurs, Homère dit vrai. Si vrai, qu'un Fénelon, à la fin du dix-septième siècle de notre ère, peut reprendre la figure de Télémaque pour écrire, à l'intention du duc de Bourgogne dont il est le précepteur, un manuel d'éducation politique et civique. *Les aventures de Télémaque*, rédigées non sans arrière-pensées politiques, eurent en leur temps beaucoup de succès et valurent à leur auteur quelques déboires avec l'autorité royale, tant il est vrai qu'éduquer ne va pas sans péril.

Les lois de l'hospitalité (le respect dû à l'autre ou à l'étranger), la piété (le respect dû aux dieux) trouvent chez Homère mille illustrations qui, comme le fait remarquer l'helléniste (et athée) Paul Veyne au sujet de la piété, représentent « la part d'élévation dont chacun est capable », de même qu'une certaine idée de la justice et de la civilisation. Dans l'*Odyssée*, cette dernière s'incarne dans une image parfaite : sont civilisés les peuples mangeurs de pain, l'agriculture marquant bien le début d'une vie en société qui a besoin de quiétude, de régularité et de paix pour prospérer, ce dont le pain, fruit d'un labeur patient, devient le symbole. Le cyclope Polyphème tire du fromage du lait de ses brebis, mais il ne mange pas de pain lorsqu'il apparaît au chant IX de l'*Odyssée*. Pis : c'est tout cru qu'il dévore les compagnons d'Ulysse venus à lui avec des cadeaux et qu'il a enfermés dans son antre, au mépris des lois de l'hospitalité. En revanche, à ces mêmes lois savent se conformer Alkinoos, roi des Phéaciens, qui lave, habille et nourrit l'étranger avant même de chercher à savoir d'où il vient et ce qu'il veut, et Pénélope, qui entoure d'égards le mendiant sous les traits duquel s'est dissimulé Ulysse — précaution récurrente chez l'homme aux mille tours —, lorsque enfin il remet les pieds dans son palais, mendiant moqué et humilié par les prétendants qui, cette raison s'ajoutant à d'autres, connaîtront un sort mérité.

Même si plusieurs, et non des moindres, s'y sont adonnés depuis des siècles, l'entreprise qui consiste à commenter les deux grands poèmes d'Homère a quelque chose de vain, ou du moins de secondaire, la primauté ne pouvant aller qu'à la lecture et à l'émotion qu'elle ne manquera pas de susciter, chez les esprits avisés comme chez les moins préparés. Ici, maintenant, cette entreprise est surtout insuffisante. Aura-t-on fait entrevoir quelques-unes des qualités d'Homère (invention, maîtrise de la narration, finesse psychologique, profondeur de vues, humanité) qu'on n'aura rien dit des beautés formelles dont les traductions, en s'aidant de partis pris divers, rendent le reflet chatoyant, ce qui en dit long sur le feu initial. Dans l'Antiquité, le vers de l'épopée est l'hexamètre dactylique, c'est-à-dire un vers de six pieds (*hexa*) utilisant tour à tour le dactyle (syllabe longue suivie de deux brèves) et le spondée (deux syllabes longues). Jacqueline de Romilly, autre helléniste réputée, a bien montré toutes les particularités de la langue d'Homère, capable de plier à sa loi poétique les dialectes ionien et éolien, alors parlés par les Grecs d'Asie mineure. Nul besoin cependant d'être aussi savant pour goûter le style de l'*Iliade* et de l'*Odyssée*. Il suffit au non-helléniste de se laisser bercer par les métaphores et les images homériques, dont la répétition rappelle l'oralité de poèmes de plus de dix mille vers et la prouesse qui consistait à les réciter, mais agit aussi comme un charme puissant sur l'esprit de l'auditeur devenu lecteur. Entre autres procédés, ce qu'on appelle les « épithètes de nature » n'ont pas d'autre but.

La déesse aux yeux pers, la nymphe aux belles boucles, l'aurore aux doigts de rose : qui demeure insensible à ces fenêtres ouvertes sur l'imaginaire est en effet bien à plaindre.

Cela étant, qui était Homère ? Un aède de ce nom a-t-il seulement existé ? Ne sont-ils pas plusieurs, sur plusieurs siècles, à avoir poli l'*Iliade* et l'*Odyssée* avant que les deux poèmes n'aient été transcrits, puis fixés au sixième siècle av. J.-C., sur l'ordre de Pisistrate, à Athènes, puis découpés en chants par des grammairiens d'époque hellénistique, suivant un usage qui ne s'est imposé qu'après le troisième av. J.-C. ? La question homérique a agité les érudits de tous temps, presque, pourrait-on dire, en forçant un peu le trait, depuis qu'a résonné une première fois l'invocation à la Muse qui ouvre, comme il se doit, chacun des deux poèmes.

Déjà, au sixième siècle av.-J.C., la réputation d'Homère était telle que sept cités grecques revendiquaient le privilège de l'avoir vu naître, trois siècles plus tôt. C'est dire comme sa vie est sujette à caution, et que sur ce point les traditions abondent, sans pour autant éclairer les faits et mettre d'accord auteurs anciens et modernes, historiens, archéologues et philologues. Du coup, le choix de s'attarder sur les poèmes et leurs qualités littéraires plutôt que sur l'auteur, comme on l'a fait ici jusqu'à présent, se défend en partie par le peu de renseignements fiables dont on dispose sur Homère.

Voici la Grèce à l'époque archaïque, aux huitième ou neuvième siècles, celle où vécut Homère. Un ensemble de cités-États, diversement puissantes, diversement riches ou pauvres, gouvernées par des oligarques, des tyrans ou des assemblées diversement éclairés, qui se font parfois la guerre entre elles, mais qui savent aussi se liguer quand la menace vient de l'extérieur. Sur la péninsule grecque à proprement parler (Grèce continentale), les Grecs se sentent à l'étroit et, à partir de 750 av. J.-C., établissent des colonies en Sicile et en Italie méridionale (Grande Grèce), en Asie où ils étaient déjà présents depuis l'époque mycénienne. C'est à Smyrne, en Asie mineure, dans ces confins par rapport à Athènes ou à Sparte, qu'une certaine Crithésis, raconte Hérodote, accoucha un jour d'un enfant illégitime. Cela se passait au bord du fleuve Mélès. C'est pourquoi l'enfant reçut le nom de Mélèsigène.

En grec, « homère » veut dire « aveugle », et aveugle, Mélèsigène le deviendra à l'âge adulte, à la suite d'une maladie qui le frappa alors qu'il avait choisi de naviguer et de connaître l'aventure. Mais Hérodote, tout historien qu'il soit, est un fabulateur qui écrit à l'époque classique, au cinquième siècle av. J.-C., avec la conscience du capital symbolique important que représente le nom d'Homère. Il est donc inutile de reprendre ici le récit détaillé qu'il fait a posteriori de l'existence du poète, en cherchant les clefs dans ses poèmes.

D'autre part, l'*Iliade* et l'*Odyssée* sont des œuvres suffisamment contrastées, où abondent les détails contradictoires et les passages manifestement interpolés, pour que l'hypothèse d'une œuvre collective ait pu paraître vraisemblable, rapetissant d'autant la figure d'Homère en poète de génie. La question homérique est ouverte véritablement au dix-huitième siècle de notre ère avec une étude que publie le philologue allemand Friedrich Wolf (*Prolegomena Homerum*, 1795). Plusieurs poètes à plusieurs époques ont écrit l'*Iliade* et l'*Odyssée*, soutient celui-ci, à partir d'une analyse minutieuse des poèmes. D'autres savants, parmi ses contemporains, ont défendu au contraire leur unité. Et la querelle — comme il est réconfortant de savoir que cette question a pu être de la plus haute importance pour certains ! — a perduré pendant deux siècles. De nos jours, les savants reconnaissent plusieurs sources à l'*Iliade* et l'*Odyssée*, et conviennent d'appeler Homère celui qui, avec un art suprême, fit s'élever deux monuments poétiques sur ces masses de vers. Les mêmes s'accordent à dire que Homère a écrit son œuvre dans quelque port d'Asie mineure, sans doute Milet, qu'il était aveugle, qu'il a laissé des disciples, les homérides, dont les plus importants auraient vécu à Chio. Le reste relève des agréables spéculations qui donnent tout son sel à l'érudition.

Telle Athéna jaillissant du crâne de Zeus, c'est donc de ces deux poèmes épiques qu'est sortie toute — oui, toute — la littérature occidentale. La simple antériorité ne compte guère dans ce jugement, repris à plusieurs siècles d'intervalle, aussi bien par des écrivains, qui savent reconnaître leur dette, que par des historiens de la littérature, qui connaissent leurs sources. Une première raison à cela en est que tous les genres littéraires sont contenus en germe dans celui de l'épopée homérique :

l'indétrônable roi roman, au premier chef, mais aussi tous ces genres à la faveur passée ou diverse que sont la tragédie, la comédie, la poésie lyrique, l'idylle, le panégyrique, l'ode funèbre, la farce et tant d'autres.

Il y a le genre. Il y a aussi l'esprit. Sur ce plan, l'influence d'Homère n'est pas moins grande. Jusqu'à la fin de l'époque médiévale, les rois de France aimaient à se dire les descendants de Francion, l'un des fils d'Hector qui aurait échappé à Troie dévastée, lignage qu'avait revendiqué l'auteur latin Virgile, au premier siècle av. J.-C., de manière très politique, en faisant naître, dans l'*Énéide*, la Rome primitive de la geste d'Énée fuyant Troie, son vieux père sur le dos, et en reprenant plusieurs des procédés littéraires d'Homère, son maître en poésie. La Renaissance, on le sait, embrasse l'Antiquité avec ferveur, et les poèmes d'Homère, jusque-là recopiés sur des manuscrits, connaissent une première édition imprimée à Florence, en 1488. D'Homère à Virgile, de Virgile à Dante (dans *La divine comédie*, le second fait du premier son guide), le fil n'est jamais rompu et est jalonné d'une série d'œuvres littéraires fondatrices qui, sous des airs de propagande assumée, appellent le héros, et à travers lui l'humanité, à se trouver, à se dépasser, à se montrer confiant, tout en se gardant de l'*hubris* (orgueil impie) qui en perdit plus d'un. Ainsi Melville, au dix-neuvième siècle de notre ère, se souvient-il d'Homère autant que de la Bible quand il lance Achab sur les traces de la baleine Moby Dick. Au vingtième siècle, Joyce marque plus nettement encore la filiation quand, pendant une unique et féconde journée, il fait errer, dans Dublin, Leopold Bloom et Stephen Dedalus, et apparaître en palimpseste l'*Odyssée* d'Homère.

Dans la Grèce antique, l'expression *oi polloi* désignait le plus grand nombre, le tout-venant, ceux qui ne pesaient guère dans la gouverne de la Cité, la foule des sans-grades, comme on dirait aujourd'hui. L'expression n'évoque rien en français, sauf aux hellénistes. Pourtant, il m'arrive avec étonnement de la croiser dans la prose grasse de certains quotidiens de langue anglaise, sans explication, comme une évidence partagée entre le journaliste et ses lecteurs frottés de culture grecque. J'y vois la trace ténue et persistante de la place centrale qu'ont longtemps occupée les humanités gréco-latines dans le cursus scolaire. Nos temps démocratiques répugnent aux distinctions sociales établies par l'expression *oi polloi.* Il est pourtant une noblesse à la portée de tous : avoir lu et relire l'*Iliade* et l'*Odyssée*, suivant son désir d'abord, puis par un acte de volonté, dans le ravissement enfin, en se sachant désormais détenteur d'un bien suprême.

Marie-Andrée Lamontagne est écrivain, éditrice, journaliste et traductrice. Membre du comité de rédaction des revues La Traductière *(Paris) et* Argument *(Montréal), elle a publié récemment* Montréal, la créative *(Autrement et Héliotrope, 2011) et* L'homme au traîneau *(Leméac, 2012).*

Le cadeau de l'étudiant Taplow. Quelques remarques sur l'enseignement du grec et du latin

Georges Leroux

Lorsque nous le retrouvons dans la pièce de Terence Rattigan, *L'édition de Browning/The Browning Version*, jouée pour la première fois en 1948 et ensuite portée au cinéma à deux reprises, le professeur de latin-grec s'apprête déjà à disparaître[1]. Confronté quotidiennement à des élèves hostiles et malheureusement insensibles aux beautés qu'il leur présente, il doit céder la place : le directeur de l'école où il enseigne a déjà pris la décision de donner son poste à un professeur d'éducation physique. Malgré qu'il soit encore passionné par sa matière et convaincu de son utilité pour l'éducation libérale, le professeur Crocker Harris se voit forcé de prendre une retraite anticipée. Objet de moquerie, la pertinence de son enseignement semble désormais échapper à tous. Alors qu'il prépare son départ du collège, un élève souhaite néanmoins lui témoigner son estime : le jeune Taplow a été touché par la détresse de son professeur et il lui fait cadeau d'une édition de l'*Agamemnon* d'Eschyle que le maître avait commentée avec émotion dans son cours. Il s'agit de la traduction du poète Robert Browning, un livre abandonné sur l'étalage d'un libraire d'occasion.

J'ai souvent pensé à cette scène, alors que j'enseignais le grec et la philosophie ancienne dans mon université. Témoin

1. Terence Rattigan, *The Browning Version* (1948), trad. fr. de Séverine Magois, Besançon, Les solitaires intempestifs, 2004. La pièce a été adaptée au cinéma en 1951 par Anthony Asquith et en 1994 par Mike Figgis.

de la transformation qui a conduit, en l'espace d'une génération, à l'érosion quasi complète de l'enseignement des langues classiques et de la littérature à laquelle ces langues donnaient accès, j'ai été parfois invité à formuler les arguments que je jugeais encore valables pour sauver ce qui pouvait l'être. Ce n'était jamais facile, même si j'étais loin d'être le seul à vouloir le faire. C'est ainsi que la Société des études anciennes du Québec a mené une lutte admirable pour conserver dans quelques écoles et collèges l'enseignement du latin. Pour le grec, la partie était perdue depuis longtemps et il n'est offert aujourd'hui qu'aux grands débutants dans les premiers cycles universitaires. Une situation qui n'a rien d'exceptionnel, malgré quelques foyers de résistance ailleurs, comme la classe de grec toujours fréquentée dans le lycée français ou le gymnase allemand. Mais là aussi, les reculs sont nets et j'ai souvenir d'une assemblée organisée dans le hall de la Sorbonne à la fin des années 1980, où la grande helléniste Jacqueline de Romilly exposait à des étudiants ses raisons de continuer de lutter[2]. Sa tristesse était cependant plus palpable que sa conviction et elle rejoignait le professeur britannique dans le constat d'une disparition inévitable.

Dans une société comme le Québec, cette situation s'annonçait depuis longtemps. Les langues classiques constituaient l'armature littéraire et historique des collèges classiques, elles faisaient partie d'une culture qui dominait le Canada français et qui a fini par céder. Leur fonction était double, et on peut retrouver dans le discours qui les soutenait les deux grandes catégories d'arguments où n'a cessé de puiser l'apologie des langues anciennes en Occident. Depuis les lettres de Guillaume Budé jusqu'au grand mémoire d'Ernest Renan en 1894 sur l'étude du grec[3], ces arguments n'ont pas beaucoup varié. Le premier groupe d'arguments concerne tous les aspects de l'étude

2. Voir Jacqueline de Romilly, *Le trésor des savoirs oubliés*, Paris, de Fallois, 1998.

3. Ernest Renan, *Histoire de l'étude de la langue grecque dans l'Occident de l'Europe depuis la fin du Ve siècle jusqu'à celle du XIVe siècle*, texte introduit et édité par Perrine Simon-Nahum, textes latins et grecs revus et traduits par Jean-Christophe de Nadaï, Paris, Cerf, « Patrimoines-Histoire des religions », 2009.

des langues anciennes qui contribuent à la maîtrise grammaticale et logique des langues vernaculaires, en particulier dans l'aire des langues romanes. La structure des cas (nominatif, accusatif, etc.) constitue sans doute le meilleur exemple de la forme que l'analyse grammaticale du grec et du latin rend transférable dans l'apprentissage du français, pour ne citer que notre langue. Ce groupe d'arguments est encore aujourd'hui celui qui peut convaincre, comme en témoigne la pratique au collège Jean de Brébeuf de Montréal, ou ailleurs, de maintenir un enseignement du latin pendant les quatre premières années du cours secondaire. Un autre exemple est celui des formes fléchies pour les temps du verbe, une caractéristique des langues anciennes qui s'est transmise, bien que selon des modalités d'une complexité beaucoup moindre, aux formes verbales modernes.

À ce premier ensemble d'arguments, on peut joindre un argument historique : l'étymologie grecque et latine fournit une clef irremplaçable à la compréhension du lexique moderne. Combien de termes des langues romanes dérivent du grec ou du latin ? Il suffit de parcourir un dictionnaire étymologique pour le mesurer. Un *phénomène* n'est-il pas ce qui apparaît, ce qui se manifeste (du grec, *phainesthai*) ? Les étymologies constituent des répertoires d'une grande richesse et une langue vit mieux si son lien avec le passé est manifeste plutôt qu'opaque, mais elles sont aussi souvent des pièges donnant l'illusion d'une signification ultime, et la critique du cratylisme a beaucoup d'adeptes. Dans son dialogue avec Cratyle, le Socrate de Platon se faisait fort d'expliquer déjà pour le grec la signification de tous les mots par leur racine. C'est une chose cependant de retracer l'étymologie d'un mot (par exemple, pour le latin, vertu et *virtus*), une autre de fonder sa signification sur cette racine (par exemple que la vertu est la puissance virile, celle du *vir*). La richesse étymologique des langues modernes n'apparaît certes qu'à ceux qui peuvent identifier les racines grecques et latines, mais cet argument demeure à mes yeux moins important que l'argument relatif à la compréhension analytique de la forme d'une langue.

Le second groupe d'arguments est imposant et très différent du premier. Il concerne le lien intime qui réunit les langues anciennes et le répertoire canonique des œuvres classiques de la culture occidentale dont elles rendent possible l'accès direct. Le cours classique était structuré selon un parcours qui étalait les diverses étapes de ce répertoire en le proposant aux élèves dans une correspondance stricte : d'emblée littéraire, cette structure était présentée dans les six premières classes (des éléments latins à la classe de rhétorique) et le chemin parcouru permettait de progresser en suivant les genres littéraires et, à travers eux, l'évolution même de la culture humaine. Le point d'arrivée, après que les poètes étudiés dans la classe de belles-lettres (Homère et Virgile) et les rhéteurs et dramaturges étudiés en classe de rhétorique (surtout Démosthène, Sophocle et Cicéron) eurent conduit l'élève au sommet de l'esthétique poétique et de l'art de la démonstration, n'était-il pas les deux classes de philosophie, données en latin et consacrées à l'analyse des arguments scolastiques dans les domaines de la logique, de la cosmologie, de la métaphysique et de la théologie naturelle ? Quand on réfléchit à la forme même du cours classique, et notamment quand on regarde de près les justifications apportées pour l'étude de textes particuliers, présentés en plus des textes littéraires français et anglais, on ne peut qu'admirer la cohérence et la rigueur de ce lien entre les langues et les œuvres. Pas uniquement sur le plan formel, mais aussi sur le plan esthétique et moral : la conviction du professeur Crocker Harris que le vers eschyléen représente non seulement un sommet de l'art poétique occidental dans sa forme, mais que l'expression de la tragédie humaine y trouve son fondement le plus essentiel, était celle de tous les professeurs de latin et de grec. La langue rendait accessible un modèle de l'expérience humaine et ce modèle avait valeur universelle.

Depuis la restauration moderne de l'enseignement des langues classiques, et en particulier depuis la mise en forme par les jésuites du cours classique dans un document qui en est le fondement, le *Ratio Studiorum*, cette conviction n'a pas varié[4]. Quel que soit l'angle choisi pour examiner les mérites de cet enseignement, on est toujours reconduit aux arguments de forme ou aux arguments canoniques de la culture littéraire. On les retrouve partout. Il suffit de relire, près de nous, les

4. Georges Leroux, « La raison des études. Sens et histoire du *Ratio Studiorum* », *Études françaises*, vol. 31, nº 2, 1995, p. 29-44.

arguments de Henry D. Thoreau, dans le chapitre de son récit initiatique de 1854, *Walden*, consacré à la lecture. Ces pages mériteraient ici un commentaire détaillé, car elles présentent la formulation la plus accomplie des vertus du grec et du latin. Thoreau, tout comme son ami Emerson, était en effet convaincu de la portée morale de cette étude : par sa richesse et par sa complexité, l'étude des textes grecs et latins place le jeune dans une position incomparable d'émulation avec la noblesse des héros et la compassion des philosophes. Témoin des premiers signes de l'émergence d'une culture mercantile, notamment perceptibles dans une presse vulgaire et une littérature dégradée, l'ermite de Walden se fait l'avocat d'une culture de résistance et de transmission. Évoquant l'image d'Alexandre transportant dans un coffret le texte de l'*Iliade* au cours de ses expéditions, il en fait le modèle de toute culture littéraire : la vénération du texte est le chemin le plus sûr vers la beauté et vers l'universel. Thoreau se montre sévère à l'endroit de tous les philistins désireux de faire disparaître l'étude du grec et du latin, ce qui nous laisse supposer que dans ces collèges du dix-neuvième siècle les forces qui allaient conduire à expulser le professeur Crocker Harris étaient déjà à l'œuvre. Mais l'exemple des collèges classiques du Canada français semble avoir résisté plus longtemps à l'impact de la modernisation, sans doute à cause de la tutelle ecclésiastique qui en faisait le fer de lance de la religion.

Quand j'étais étudiant au collège Sainte-Marie, de 1956 à 1963, on ne pouvait percevoir aucun signe des effondrements qui étaient pourtant imminents. Des efforts importants étaient consentis pour accentuer l'étude des sciences, pour éclairer les liens avec la littérature moderne, de Shakespeare à Camus, pour introduire la critique et la diversité des interprétations. La culture gréco-latine maintenait, dans ce contexte diversifié, son hégémonie de manière incontestée. La source grecque, pour reprendre l'expression de Simone Weil, irriguait encore toute notre formation. Je ne suis certes pas le témoin le meilleur pour décrire une évolution dont j'ai poursuivi pour l'essentiel les grandes finalités dans mon travail, mais quand je sollicite ma mémoire, je suis amené à reconnaître que les maîtres qui m'ont laissé le souvenir le plus profond furent mes professeurs de grec et de latin. Je pourrais tous les nommer, année après année, je me contenterai de citer Raymond Bourgault qui fut mon professeur de grec en classe de rhétorique[5]. Élève de Pierre Chantraine à Paris, il avait reçu une formation de comparatiste et sa thèse de doctorat sur l'*Odyssée* est une merveille. J'ai conservé tous les cahiers de mes notes de ce qu'on appelait alors la « prélection », c'est-à-dire l'analyse philologique détaillée de tous les aspects, grammaticaux, historiques et littéraires, de l'œuvre soumise à l'étude. C'est ainsi que nous avons lu en entier, dans une seule année, le *Gorgias* de Platon, le discours final du *Banquet* (non expurgé), les *stasimons* de l'*Antigone* de Sophocle et le prologue de l'évangile de Jean.

Cette culture s'est effondrée lors de la création des cégeps. La fracture entre le cours secondaire et l'enseignement collégial ne laissait aucune chance aux humanités gréco-latines, parce qu'elle privait l'ensemble de l'édifice de son unité et de ses finalités ultimes. Faut-il le regretter ? Il y a beaucoup de raisons de penser que le cours classique était condamné, qu'il était érodé de l'intérieur depuis longtemps, mais cela ne préjuge pas de l'intérêt de l'étude des langues anciennes pour la culture de notre temps. Il faut savoir les distinguer.

Une des raisons de l'érosion du cours classique était que l'hégémonie de la culture littéraire s'était construite au détriment d'aspects essentiels de la culture moderne : d'abord de la création et de la recherche, puisque la finalité profonde du cours classique était la reproduction d'un héritage, et ensuite des valeurs de la modernité elle-même, comme la liberté de la critique et l'importance de la diversité. Transmettre un héritage demeure certes une finalité essentielle de toute éducation, mais le maintenir figé dans la forme canonique que son contenu a revêtue historiquement n'était plus possible. Une autre raison est l'exclusion de tout ce qui dans la modernité est culture de la diversité et de la liberté, tant sur le plan culturel qu'historique. On avait facilement le sentiment, lisant Montaigne et prenant connaissance de son admiration pour Plutarque, que tout avait été dit et surtout que rien n'avait été pensé ailleurs qu'à Athènes ou à

5. Raymond Bourgault, « Le cours classique et l'histoire de l'humanité », *Mélanges sur les humanités*, Québec et Paris, Presses de l'université Laval et Vrin, Publication collège Jean de Brébeuf, 1954, p. 111-131.

Rome. Notre formation biblique, pour ne citer que l'exemple le plus net de cette exclusion de l'autre, s'arrêtait à quelques légendes de l'Ancien Testament. Non seulement l'islam n'existait pas, mais rien des grandes cultures sémitiques et orientales ne semblait pouvoir cohabiter avec les humanités gréco-latines, puisqu'elles n'en dérivaient pas.

Ces raisons de ne pas souhaiter le retour du cours classique valent-elles pour la connaissance des langues anciennes ? Je ne le crois pas. Dans son plaidoyer pour une réforme de l'éducation libérale, la philosophe américaine Martha Nussbaum formule d'excellents arguments pour revoir le répertoire littéraire canonique et surtout pour le maintenir face aux requêtes envahissantes des savoirs techniques[6]. Le Québec n'a pas connu les guerres culturelles américaines, il a lutté pour le maintien de la philosophie et de la littérature au sein d'un ensemble de formation générale dans les cégeps. C'est une structure riche et unique, qui permet la transmission et la réinterprétation d'un riche patrimoine textuel. Si je devais revenir sur ce plaidoyer pour le reprendre au Québec, je dirais que les conditions qui ont conduit à la perte de l'hégémonie de la culture gréco-latine dans nos collèges après 1969 ne doivent pas entraîner dans leur sillage la fin de l'enseignement des langues et des humanités. Il s'agit d'ensembles distincts. Les collèges ont soutenu pendant plus de trois siècles l'enseignement d'une culture d'abord littéraire, qui convenait aux professions de robe (la chaire et le prétoire). Ce monde disparu et l'avènement d'une société désormais centrée sur d'autres finalités, et notamment sur la gestion, la technique et la prospérité, a rendu nécessaire la formulation de nouvelles exigences. Je ne crois ni possible, ni souhaitable, de reprendre des arguments qui soutiendraient le rétablissement de l'enseignement des langues anciennes de manière universelle. Je jugerais utile cependant qu'elles puissent être proposées en option à ceux qui en attendraient l'accès à ce trésor vanté par Henry Thoreau et par tant d'autres avant et après lui. Si les conditions ont changé, plusieurs raisons justifient encore que cet enseignement soit proposé au sein d'une éducation ouverte et enrichie.

6. Martha Nussbaum, *Les émotions démocratiques. Comment former le citoyen du XXIe siècle ?*, trad. Solange Chavel, Paris, Climats, 2011.

J'appartiens à ce groupe d'humanistes où Thoreau côtoie Montaigne et le professeur Crocker Harris, et aussi Mme de Romilly, et je ne peux que m'attrister à la pensée que les savoirs de ces langues auxquels j'ai consacré l'essentiel de ma vie — savoirs qui m'ont été transmis par des maîtres que n'aurait jamais effleuré l'idée que ces savoirs mourraient avec eux — pourraient mourir avec moi. Mais avec le temps, et parce que j'ai eu l'immense bonheur de rencontrer, année après année depuis mes premiers pas dans l'enseignement en 1967, des classes d'étudiants désireux d'apprendre le grec et le latin et de lire Platon dans le texte, j'ai acquis la conviction que ces savoirs ne mourront pas dans notre société. Je ne suis pas le seul, mes collègues hellénistes et latinistes sont aussi témoins de ce désir étudiant. Que ces textes revivent chez ceux qui les étudient dans l'austérité qu'ils commandent est déjà pour nous cause de joie et de réconfort, et s'il m'arrive, comme c'est parfois le cas, qu'un jeune Taplow me fasse le cadeau d'une œuvre qui aura été pour lui la révélation d'un monde après l'avoir été pour moi, et pas seulement l'instrument d'une syntaxe, je me trouve content. Comme Thoreau dans sa cabane, je sais que ma bibliothèque trouvera son chemin à son tour sur les tables de bouquinistes où tous les Taplow du monde ne cessent de trouver leur cadeau.

Georges Leroux a enseigné la philosophie ancienne et la philologie grecque au département de philosophie de l'université du Québec à Montréal, de 1969 à 2006. Il est membre de l'Académie des lettres du Québec et de la Société royale du Canada.

Abraham Lincoln

Marise Bachand

Aux États-Unis, Abraham Lincoln est non seulement considéré comme un grand homme d'État, un patriote et un martyr, il constitue plus de cent cinquante ans après sa mort une véritable obsession nationale. Visage de la division entre le Nord et le Sud au dix-neuvième siècle, le grand apôtre de l'Union devient au début du vingtième siècle un symbole de réconciliation et le Congrès lui érige un immense mémorial à Washington. C'est au pied de ce mémorial que Martin Luther King commencera son célèbre discours « I have a dream » en rendant hommage à l'émancipateur de quatre millions d'esclaves. Longtemps entourée d'une aura de sainteté, l'image de Lincoln s'est complexifiée dans les dernières décennies. Dans ses représentations récentes, le seizième président prend les traits d'un chasseur de vampires, d'un chevalier *Jedi*, voire même d'un tueur en série. Objet d'un authentique culte de la personnalité, Lincoln est l'Américain ayant intéressé le plus grand nombre de biographes. Chaque année, de nouveaux ouvrages font leur apparition sur les étagères des libraires, scrutant un aspect de la vie ou des politiques de cet homme énigmatique. Sa mémoire est invoquée autant à gauche qu'à droite du spectre politique et il compte parmi ses admirateurs des chefs d'État aussi différents que Fidel Castro, George W. Bush et Barack Obama. Celui que ses contemporains surnommaient *l'honnête Abe* était animé d'une formidable ambition de faire le bien commun et incarne, à bien des égards, l'essence du rêve américain.

Des haillons à la richesse

Le parcours de Lincoln révèle un intense désir d'ascension sociale. Né au Kentucky en février 1809 dans une cabane en rondins, Lincoln passe son enfance dans l'extrême pauvreté. À l'instar d'un grand nombre de petits fermiers blancs, les Lincoln souffrent de la concurrence économique des esclaves. Ils choisissent donc de migrer en Indiana, un État « libre » où l'esclavage est interdit. La vie sur la frontière y est cependant rude et Abraham se retrouve bientôt orphelin de mère. L'arrivée de la deuxième épouse de son père marque un tournant ; cette femme aimante amène dans ses bagages des livres et un certain confort domestique, exposant le garçon à une nouvelle culture matérielle et intellectuelle. Elle-même analphabète, elle encourage Abe dans l'apprentissage de la lecture et de l'écriture. Même si ce grand gaillard musclé de six pieds quatre pouces manie la hache avec adresse, il déteste les travaux de la ferme. À la première occasion, Lincoln s'engage sur les traversiers, puis il s'installe en Illinois, où il œuvre tour à tour comme commerçant, arpenteur, postier et avocat. Autodidacte, il profite de ses temps libres pour parfaire son éducation, lisant tout ce qui lui tombe sous la main : littérature, géographie, droit, philosophie et mathématiques. Lincoln recherche la compagnie des hommes de sa communauté et, charismatique et sociable, il est renommé pour ses histoires drôles et vulgaires. L'humour sert d'antidote à la mélancolie qui l'afflige périodiquement et qui le mène à faire au moins deux dépressions sévères au tournant de la trentaine. Agnostique, Lincoln désespère de laisser une trace de son passage sur terre. Généralement mal à l'aise en présence des femmes, il se marie à trente-trois ans avec Mary Todd, une jeune fille vive et cultivée issue de l'aristocratie locale. Elle lui donne quatre fils, mais lui apporte surtout le raffinement qui lui fait défaut. Sous ses airs de fainéant mal fagoté, Lincoln est profondément ambitieux. Il adhère complètement à l'idéologie dominante dans l'Amérique de la première moitié du dix-neuvième siècle, c'est-à-dire qu'à force de discipline et de travail, chaque individu peut s'élever des haillons à la richesse.

Au service de l'égalité des chances

Lincoln gagne très bien sa vie en tant qu'avocat, défendant autant le petit criminel que la grande entreprise. Or le véritable moteur de son ambition n'est pas l'argent, mais le service public. De 1835 à 1848, il est élu à la législature de l'Illinois et représente pendant deux ans ses concitoyens à Washington. Quand il quitte la politique, il est las d'être condamné à l'opposition de par son allégeance au parti whig, minoritaire en Illinois. Tant à titre d'avocat que de politicien, il défend le principe d'égalité des chances qui passe par la liberté individuelle, mais aussi par un État interventionniste. La croissance, selon Lincoln, dépend de canaux, de ponts et de routes qui permettent aux petits producteurs isolés — comme ses parents — d'expédier récoltes et marchandises vers les grands centres. Il milite pour le développement économique, l'investissement des deniers publics dans les infrastructures et la régulation des banques. « Je ne crois pas à une loi qui empêcherait un homme de devenir riche, affirme-t-il, cela ferait plus de mal que de bien. Nous ne proposons pas une guerre contre le capital, nous voulons nous assurer que l'homme le plus humble ait une chance égale de s'enrichir. » Le rêve américain de Lincoln, nécessairement capitaliste, repose sur le concept de liberté.

L'épineuse question de l'esclavage et de son expansion à l'Ouest le ramène à la politique active au milieu des années 1850, alors qu'à deux reprises il brigue un siège au sénat américain. Lincoln ne remet pas en cause le droit des sudistes de conserver leur « institution particulière », mais il s'oppose à l'expansion de l'esclavage dans les territoires du Kansas et du Nebraska au nom des idéaux de la révolution de 1776. Selon Lincoln, l'esclavage est non seulement un problème économique, il est aussi un problème moral qui nuit à l'image des États-Unis dans le monde. S'il souhaite que l'institution disparaisse à moyen terme, son programme demeure résolument vague quant aux conséquences raciales de l'émancipation. Qu'allait-on faire de ces millions d'esclaves affranchis ? Lincoln se réfugie derrière l'idée de colonisation visant à envoyer les Noirs dans des colonies créées spécialement pour eux en Afrique ou en Amérique du Sud. Rejetant le principe même d'une cohabitation, Lincoln rêve d'une Amérique blanche, purifiée de ses Noirs et de ses Amérindiens — qui résistent toujours à l'appropriation de leurs terres dans les plaines de l'Ouest. À la fin des années 1850, l'*honnête Abe* ne veut pas de l'égalité sociale et raciale des Noirs et des Blancs. Il aime les blagues racistes et fréquente assidûment les spectacles de ménestrels dans lesquels des comédiens blancs se noircissent le visage pour caricaturer les « nègres » (comme il les désigne dans certains de ses textes). En Illinois, il vote même en faveur de lois qui dépouillent les Noirs libres de leurs droits fondamentaux. En somme, Lincoln est raciste, à l'instar de la très grande majorité de ses contemporains. Souvent relégué aux notes de bas de pages, cet aspect de sa pensée montre pourtant à quel point il était un homme de son temps. Même s'il échoue à se faire élire au sénat, Lincoln gagne en stature sur la scène politique nationale et devient le défenseur d'une république antiesclavagiste au service de l'égalité des chances pour les hommes blancs.

L'Union avant les esclaves

En 1860, Lincoln brigue la nomination du parti républicain pour devenir candidat à la présidence des États-Unis. Aux yeux de ses concurrents, il est un politicien inexpérimenté, un avocat de troisième ordre, un inculte et, selon les règles classiques de la rhétorique, un piètre orateur. Il est aussi le plus conservateur des candidats. Le parti républicain est alors un jeune parti, né d'une coalition d'éléments radicaux (abolitionnistes, militantes pour les droits des femmes) et d'éléments plus modérés (membres du défunt parti whig et dissidents démocrates) qui partagent une vision antiesclavagiste de la république. Dans un contexte de radicalisation des positions, Lincoln se pose en rassembleur. Tandis que ses concurrents blâment le Sud pour tous les maux du pays, Lincoln insiste plutôt sur la complicité du Nord dans la pérennité de l'esclavage. Sur toutes les tribunes, il prêche la réconciliation entre les deux sections, puisqu'une « maison divisée ne peut tenir debout ». Ses discours clairs et simples frappent l'imaginaire du plus grand nombre et son allure humble lui assure un soutien inconditionnel de la base. C'est ainsi qu'il gagne la nomination de son parti et, contre toute attente, les élections présidentielles de novembre.

L'élection d'un antiesclavagiste — même le plus modéré — est reçue comme une déclaration de guerre par les défenseurs de « l'institution particulière ». Dès décembre, la Caroline du Sud fait sécession, bientôt suivie par douze États qui formeront dans les premiers mois de 1861 un pays indépendant, les États confédérés d'Amérique. À tous ceux qui veulent l'entendre, Lincoln répète qu'il veut sauver l'Union, et non pas sauvegarder ou détruire l'esclavage : « Si je pouvais sauver l'Union sans libérer aucun esclave, je le ferais, et si je pouvais sauver l'Union en libérant tous les esclaves, je le ferais ; et si je devais la sauver en libérant certains esclaves et en négligeant les autres, je le ferais aussi. » Pour mettre fin à ce qu'il appelle une « insurrection » et une « rébellion », il est prêt aux plus grands sacrifices. Tandis qu'il lève une armée pour une guerre de quatre-vingt-dix jours, le président doit essuyer les critiques de l'establishment nordiste qui dénonce ce « président sans cerveau », lent à prendre des décisions et qui passe des heures à la bibliothèque du Congrès à étudier cartes et manuels de stratégie militaire.

Or, au cours des quatre longues années que dure la guerre civile, Lincoln se révèle un génie politique et un brillant chef militaire. Conscient de son inexpérience, il s'entoure des meilleurs conseillers, fussent-ils des têtes fortes ou des opposants. Avec un formidable tact, il réussit à convaincre les États limitrophes esclavagistes (Delaware, Maryland, Kentucky et Missouri) de demeurer fidèles à l'Union, protégeant ainsi Washington des troupes confédérées. Face à l'incompétence de certains généraux qui le méprisent ouvertement, Lincoln se montre patient, faisant passer le bien de ce qu'il appelle dorénavant « la Nation » avant les chocs d'ego. Il préconise une guerre limitée qui respecte les droits des civils sudistes, et ce, jusqu'à ce que la guerre totale ne devienne absolument nécessaire dans les derniers mois du conflit. Tout en respectant la Constitution, il concentre entre les mains du président des pouvoirs extraordinaires ; l'exécutif devient le maillon fort du système politique américain. Surtout, l'*honnête Abe* ne perd jamais contact avec la population, multipliant les discours inspirés et rencontrant chaque semaine des dizaines de citoyens, veuves éplorées ou simples badauds. C'est ainsi qu'il parvient à se faire réélire en novembre 1864, avec un programme qui s'est cependant radicalisé.

Les esclaves sont maintenant devenus une de ses priorités, au même titre que l'Union. Déjà, le 1er janvier 1863, Lincoln décrétait une proclamation d'émancipation libérant les esclaves des zones rebelles (mais pas ceux des États limitrophes demeurés fidèles). Stratégie pragmatique visant à déstabiliser l'ennemi, les effets de la proclamation seront toutefois considérables. Les esclaves qui ne sont pas libérés par les troupes de l'Union désertent leurs maîtres et, par milliers, suivent les armées en marche. D'autres s'installent dans des villages où le bureau des affranchis, financé par le gouvernement fédéral, leur donne accès à des écoles et des soins médicaux. L'empressement des esclaves à briser leurs chaînes, le courage des soldats noirs sur les champs de bataille et l'éloquence des leaders abolitionnistes ramollissent les préjugés raciaux de Lincoln. Quand la frange la plus radicale du parti républicain propose le treizième amendement à la Constitution — l'abolition de l'esclavage sur l'ensemble du territoire des États-Unis —, Lincoln le rassembleur utilise son pouvoir de persuasion pour en assurer la ratification. Dans ses derniers discours au printemps 1865, le président milite même pour le droit de vote des hommes noirs, se faisant l'avocat d'une réelle égalité des chances pour tous. La proclamation d'émancipation transforme donc une guerre civile en véritable révolution. Si le racisme fera encore bien des victimes aux États-Unis, l'esclavage est bel et bien chose du passé.

Le 14 avril 1865, Lincoln se rend au théâtre, histoire de célébrer avec une comédie burlesque la reddition de la plus grande armée confédérée et la fin prochaine de la guerre. Après l'entracte, un conspirateur sudiste tire sur lui. Il succombe le lendemain à ses blessures. Joignant les rangs des six cent mille soldats ayant perdu la vie au Nord et au Sud, Lincoln devient ainsi un martyr. Tous les facteurs sont donc réunis pour faire de lui une légende : des origines modestes, des idées fortes d'union et de liberté, une période épique de guerre civile et une mort violente. Certains hagiographes s'obstinent toujours à présenter une image christique du seizième président, sauveur de l'Union et ami des Noirs. Or Lincoln fut un héros imparfait, un extraordinaire homme ordinaire. Tourmenté et rempli des pires préjugés de son époque, ce grand gaillard à la voix haut perchée défendait le meilleur du rêve américain, soit le droit de chaque homme de gagner librement son propre pain, qu'il soit blanc ou noir. Le parcours d'Abraham Lincoln rappelle qu'en démocratie un mandat de quatre ans est parfois suffisant pour transformer les politiciens et les peuples qu'ils gouvernent, même (ou surtout ?) en période de crise. Les causes sont souvent plus grandes que les hommes et les femmes qui les défendent.

Spécialiste de l'histoire du Sud esclavagiste, Marise Bachand enseigne l'histoire de la guerre de Sécession à l'université du Québec à Trois-Rivières. Elle termine la rédaction de son premier livre, provisoirement intitulé So Full of the Cities : Plantation Women and the Urban South, 1790-1877.

Les Lumières en héritage ?

Daniel D. Jacques

Quel rapport peut-il y avoir entre *La montagne magique* et le « printemps québécois » ? Plusieurs répondront sans doute : aucun. En effet, la question peut sembler saugrenue et impertinente, et elle l'est par certains aspects, pour tous ceux qui n'ont pas lu le chef-d'œuvre de Thomas Mann et qui n'ont pas assisté à ces événements qui ont marqué récemment la vie politique du Québec. Ce qui, avouons-le, réduit considérablement le nombre des candidats. Mais faut-il encore, pour saisir le lien dont il est question, posséder quelque connaissance des Lumières.

La lecture de *La montagne magique* fut sans doute l'une des plus singulières expériences littéraires qu'il m'ait été donné de connaître[1]. Je me remémore toujours avec le plus grand intérêt les tumultueux débats entre Settembrini, l'héritier des Lumières, le partisan de la ligue pour le progrès de la conscience et grand humaniste, et son adversaire résolu, Naphta, dont les propos rappellent le romantisme et annoncent ce qui deviendra par la suite, dans cette Allemagne tourmentée de l'entre-deux-guerres, la révolution conservatrice. Tout au long de cet immense roman, l'auteur construit patiemment, méthodiquement, savamment, un fabuleux miroir où se reflète, dans ses espérances tout comme dans ses craintes, l'époque, instrument fantastique grâce auquel il nous est donné de comprendre que les Lumières représentent désormais pour nous, les modernes tardifs, un héritage ambigu. Davantage, par la mise

1. Thomas Mann, *La montagne magique*, Paris, A. Fayard, 1931.

en scène de ces controverses philosophiques, nous parvenons à saisir que cette ambiguïté à l'égard des Lumières est désormais constitutive de notre identité historique. Encore faut-il, une nouvelle fois, connaître ce que furent les Lumières pour saisir ce dont il est question dans ce grand débat qui se poursuit, sous d'autres noms, parmi nous.

L'héritage des Lumières

Rappelons ce que furent les Lumières, quel en est l'héritage et, enfin, quel rapport ambivalent nous entretenons aujourd'hui avec celui-ci. Il convient d'abord de distinguer le fait historique de ce que nous pourrions appeler, en contrepartie, l'idéal philosophique.

Le terme «Lumières» — en anglais *Enlightenment*, en italien *Illuminismo* et en allemand *Aufklärung* — désigne un mouvement culturel, littéraire et philosophique qui a pris forme en Europe au cours du dix-huitième siècle. On désigne ainsi une pléiade d'auteurs — Voltaire, Hume, Diderot, Lessing, Kant, Condorcet et bien d'autres — qui ont formulé, dans des œuvres fort différentes quant à leur contenu, un même idéal philosophique[2]. En effet, une même foi dans le pouvoir émancipateur de la Raison fonde l'unité de ce mouvement. À cela s'ajoute une grande confiance dans le «progrès» de l'espèce humaine, un progrès qui se laisse voir dans les développements de la science moderne, dont Newton est le héros.

Comme le mentionne Montesquieu, il a semblé désormais possible d'éduquer les hommes par la seule observation du monde, les délivrant ainsi des opinions périmées de leurs pères, c'est-à-dire de la tradition, ou bien encore de celles de leurs maîtres, c'est-à-dire de la philosophie des Anciens. Cet esprit critique, qui constitue sans doute l'un des traits distinctifs des Lumières, a favorisé la contestation de la légitimité de l'ordre social et politique, que ce soit sous la forme d'une critique toujours plus acerbe de l'Église catholique ou bien encore de la monarchie absolutiste. Une part capitale de cette dénonciation

2. Paul Hazard, *La pensée européenne au XVIIIe siècle de Montesquieu à Lessing*, Paris, Fayard, 1963.

de l'ordre établi puisera ses justifications dans l'affirmation des droits de l'homme, de la liberté de conscience et de la nécessaire tolérance qui doit accompagner l'exercice de l'un et l'autre[3]. L'époque des Lumières a pris fin avec la Révolution française qui constitue, par certains aspects, son aboutissement et, par d'autres, l'amorce d'un tout autre temps.

Sur le plan philosophique, ce que nous pourrions appeler, à la suite d'autres, « l'esprit des Lumières » va donner naissance à un projet intellectuel, moral et politique, qui outrepasse largement les limites historiques définies précédemment et dont les prolongements divers s'étendent jusqu'à nous[4]. Trois mots, repris à chaque génération, sous des motifs divers, résument bien cet idéal : Raison, progrès et bonheur.

Les Lumières sont essentiellement un humanisme au sens où elles comportent une représentation de notre humanité idéale, humanité qui ne saurait être atteinte que par le plein déploiement de notre raison commune. Dans cette perspective, l'homme ne parvient jamais à lui-même qu'en acceptant librement de vivre sous les lumières de la Raison, c'est-à-dire sous l'autorité de la science qu'il a lui-même engendrée. Et nul ne peut se réaliser s'il ne se délivre pas de l'influence de ces autorités extérieures, la tradition et l'Église par exemple, qui entravent sa liberté de penser. C'est pourquoi Diderot, suivi en cela par Kant, pourra proposer comme mot d'ordre pour chacun d'« oser penser par soi-même[5] ». L'homme n'est donc véritablement lui-même que dans l'exercice de cette liberté de conscience que d'autres nommeront par la suite « autonomie ». L'humanisme des Lumières, qui est en l'occurrence un anthropocentrisme, apparaît donc comme l'une des réponses les plus convaincantes formulées par les modernes à la très ancienne question de l'humanité de l'homme[6].

Dans cette perspective humaniste, l'histoire acquiert une fonction inédite. Il ne s'agit plus tant, comme c'est le cas dans

3. Alain Renaut (dir.), *Lumières et romantisme*, t. III, *Histoire de la philosophie politique*, Paris, Calmann-Lévy, 1999.

4. Tzvetan Todorov, *L'esprit des Lumières*, Paris, Robert Laffont, 2006.

5. Denis Diderot, « Éclectique », dans *Encyclopédie*, Paris, French & European Publications, 1985, vol. V, p. 644.

6. Daniel D. Jacques, *La mesure de l'homme*, Montréal, Boréal, 2012.

une conception cyclique du temps, de tirer les leçons du passé, d'extraire les grands modèles de l'action héroïque passée, mais plutôt d'établir la direction générale du mouvement dans laquelle nous engage le déploiement de notre « nature » rationnelle, de notre « perfectibilité » commune. Dans le grand tableau de ce « mouvement vers l'avant », que dessine le rassemblement de ces opinions en système, chaque génération semble promise à devenir meilleure, c'est-à-dire plus humaine, plus civilisée, que la précédente, et l'espèce tout entière paraît entraînée inéluctablement vers sa propre perfection[7]. Bien sûr, un tel progrès de l'espèce nécessitera d'immenses sacrifices — ce qui permettra de justifier de nouvelle façon la soumission des uns et le pouvoir des autres — et d'interminables combats contre les préjugés hérités du passé, qu'ils soient fondés sur la religion, le sexe, la race ou toute autre « différence » qui contrevient à cette représentation universaliste et égalitariste de l'être humain. Un tel procès, au moyen de la raison, de tous les préjugés anciens, conduisant à départager les époques, les civilisations et les sociétés, nécessitera la construction d'une scène qui soit proportionnée à la tâche, c'est-à-dire d'un espace universel, entièrement public, où chacun peut virtuellement entendre la raison de l'autre. On comprend dès lors toute l'importance accordée à la publicité, par l'impression de livres et de journaux, et à la diffusion des savoirs — pensons ici à l'*Encyclopédie* —, par la création de bibliothèques, de cabinets de lecture et d'académies scientifiques[8]. L'éducation publique devient la grande affaire du siècle puisque ce ne sont plus quelques individus, sous l'autorité d'un maître, mais toute l'humanité qui est destinée à s'élever en conscience dans l'Histoire.

7. Emmanuel Kant, *Idée d'une histoire universelle au point de vue cosmopolitique*, Paris, Nathan, 1994.

8. Diderot résumera l'essentiel de ce projet dans le passage suivant : « Le but d'une Encyclopédie est de rassembler les connaissances éparses sur la surface de la terre; d'en exposer le système général aux hommes avec qui nous vivons, et de les transmettre aux hommes qui viendront après nous; afin que les travaux des siècles passés n'aient pas été des travaux inutiles pour les siècles qui succéderont; que nos neveux, devenus plus instruits, deviennent en même temps plus vertueux et plus heureux, et que nous ne mourions pas sans avoir bien mérité du genre humain » (*Encyclopédie* de Diderot et d'Alembert, 1751-1772, article « Encyclopédie »).

Enfin, l'ultime promesse des Lumières, celle qui eût semblé la plus insensée aux Anciens, c'est-à-dire celle inspirée par le plus grand *hubris*, consiste à esquisser le portrait d'une humanité vouée inexorablement au bonheur au terme de sa longue marche dans l'Histoire. L'espèce humaine, une fois émancipée de la tyrannie, saura, au moyen de l'éducation, de l'industrie et de l'économie, répondre, de mieux en mieux, aux besoins de tous ses membres, réunissant ainsi les conditions propices non pas à son salut, mais au bonheur de chacun. Il appartiendra à Condorcet de décrire les étapes de ce long parcours d'émancipation dans son *Esquisse d'un tableau historique des progrès de l'esprit humain*[9].

En d'autres termes, qui sont cette fois les nôtres, nous pourrions affirmer que l'idéal des Lumières est l'expression du rationalisme, mais d'un rationalisme bien particulier puisqu'il repose sur la conviction qu'une humanité dont la vie se déploie sous le commandement de la Raison, c'est-à-dire, dans ce cas de figure, sous l'autorité de la démocratie, de la science et de la technique, connaîtra une existence tout à la fois plus humaine et plus heureuse. Les Lumières représentent ainsi cette étape cruciale de l'histoire où s'est opérée la généralisation du « régime de vérité » des modernes à la totalité des choses humaines.

La critique des Lumières

Qu'en est-il de cet idéal formulé à l'époque des Lumières aujourd'hui ? S'agit-il d'un héritage spirituel qui est encore vivant parmi nous ? Plusieurs en doutent qui estiment que tous ces grands récits historiques sont désormais dépassés ! En effet, qui donc, de nos jours, pourrait affirmer comme Bayle, à l'aube du siècle des Lumières : « Le prochain siècle sera de jour en jour plus éclairé : en comparaison tous les siècles précédents ne seront que ténèbres » (1697). Nous savons aujourd'hui que la plus grande culture peut conduire à la plus grande barbarie, que la science peut être mise au service de la tyrannie, que

9. Condorcet, *Esquisse d'un tableau historique des progrès de l'esprit humain*, Paris, Garnier Flammarion, 1998.

l'industrie peut compromettre la survie de notre espèce et de plusieurs autres vivants et, enfin, que l'économie, loin de conduire à la satisfaction des besoins de tous, peut asservir les hommes à des finalités inhumaines. Tout cela nous le savons, notamment par l'expérience des catastrophes qui ont jalonné le vingtième siècle, mais aussi par l'examen de la marche actuelle de notre civilisation, qui nous semble bien incertaine et parfois plutôt chaotique.

S'il est vrai que l'expérience politique du siècle précédent nous a rendus moins confiants dans le progrès de l'espèce, on notera cependant que la critique des Lumières s'est amorcée bien avant qu'il nous soit donné de constater les conséquences funestes découlant de la réalisation de son projet dans l'histoire. Parmi tous les doutes soulevés quant à la véridicité de cet idéal, il en est un qui me semble plus essentiel que d'autres, je pense ici à la question de l'éducation. Déjà, au milieu du siècle des Lumières, Rousseau, dans le *Discours sur les sciences et les arts*, avait soulevé certaines objections qui n'auront de cesse de travailler la conscience européenne. Dans un étonnant retournement de l'argumentaire des Lumières, qui annonce la critique romantique, Rousseau a mis en question l'idée même qu'il soit salutaire de soumettre tous les hommes, sans distinction, également, à l'exposition des froides lumières de la Raison, craignant que la majorité d'entre nous — qui ne sommes pas tous des Descartes —, soumis à ce rude éclairage, ne connaissions un assèchement de nos vies. Ils furent nombreux, par la suite, à craindre que l'esprit critique ne conduise au plus vaste scepticisme, que l'éducation aux sciences ne favorise le cynisme le plus complet dans le domaine moral et, enfin, que la recherche du bonheur n'aboutisse au plus plat des individualismes. Pour Rousseau, si proche et si distant des Lumières, la tare initiale de ce projet réside dans la promesse d'un bonheur toujours plus grand pour l'humanité du fait d'un accès toujours plus étendu à l'éducation, source ultime de tout progrès dans nos sociétés. Refusant ce qu'il estime être l'aveuglement de ses contemporains éclairés, Rousseau s'interroge à savoir si la vérité doit toujours être dévoilée et s'il ne conviendrait pas de réserver certains savoirs aux individus doués de génie; l'ignorance du plus grand nombre en ces matières délicates étant la condition permettant de préserver sa vertu et son bonheur[10].

L'héritage ambigu des Lumières aujourd'hui ?

Quel rapport tout cela a-t-il avec le printemps québécois ? Manifestement, sous un aspect tout au moins, tous ces Québécois, jeunes et moins jeunes, qui défendent fermement un droit égal pour tous à l'éducation la meilleure, s'avèrent être bel et bien les enfants des Lumières. Notons, au passage, qu'une institution comme le cégep — qui offre à tous une éducation obligatoire en philosophie et en littérature — s'inscrit entièrement dans le projet des Lumières. De même, le réseau des universités du Québec, qui constitue l'un des foyers d'opposition au gouvernement, a eu pour objectif, depuis sa fondation, de contribuer à la démocratisation de l'enseignement supérieur. Il n'est donc pas étonnant de constater que ce sont, pour une part importante, les étudiants de ces établissements qui se sont opposés à la hausse des frais de scolarité au nom d'un droit jugé universel à l'éducation. Tous ces manifestants, armés d'un même esprit critique, d'une même disposition à la transgression, jusqu'à l'anarchie s'il le faut, et d'une détermination semblable à juger de tout par eux-mêmes, ne sont-ils pas à leur façon des héritiers des Lumières, sans même peut-être le savoir ? On remarquera toutefois que ces nouveaux héritiers n'ont plus la foi dans le progrès économique, technique et scientifique, que partageaient leurs illustres prédécesseurs, et entretiennent plutôt le plus grand scepticisme à l'égard de l'avenir. Ce sont, en somme, des révolutionnaires qui n'ont plus de révolution à accomplir, qui doutent de tout et de rien, mais qui n'en défendent pas moins avec la plus ferme assurance que notre bonheur collectif dépend de l'accès à l'éducation du plus grand nombre. Doit-on conclure qu'une telle revendication n'est, au final, que le vestige d'une foi révolue ou bien plutôt qu'une telle espérance de justice, si puissamment formulée par les hommes des Lumières, représente encore notre idéal

10. Jean-Jacques Rousseau, *Discours sur les sciences et les arts*, Paris, Garnier Flammarion, 1971, p. 58.

le plus précieux ? Nul doute que la lecture de *La montagne magique* ne puisse nous éclairer sur ce dilemme apparemment indissociable de notre condition historique.

Daniel Jacques enseigne la philosophie au collège François-Xavier-Garneau. Membre fondateur de la revue Argument, *il est entre autres l'auteur de* La révolution technique *(Boréal, 2002), de* La fatigue politique du Québec français *(Boréal, 2008) et de* La mesure de l'homme *(Boréal, 2012).*

Le Moyen Âge, comment et pour quoi faire?

Didier Méhu

Où commence et où s'arrête l'Histoire? Quelle histoire doit-on étudier, enseigner, connaître? Toutes, pourrait-on souhaiter, mais la démarche s'avérerait vite impossible. Les choix académiques privilégient souvent les périodes les plus récentes, considérées comme les plus pertinentes parce qu'elles marquent encore visiblement l'organisation sociale, ou l'histoire du « chez nous » parce qu'elle permettrait de connaître nos « racines » (nous ne sommes pourtant pas des plantes!); ou encore l'histoire des pays actuellement en essor (la Chine, l'Inde, l'Afrique actuellement). Aucun de ces choix n'est regrettable, mais ce qui importe, quel que soit le terrain sur lequel se porte l'histoire, est de considérer la longue durée, le changement et le contexte. L'histoire du Québec, par exemple, n'a aucun sens en dehors de l'histoire occidentale au complet (Europe et Amérique du Nord) dont elle n'est qu'une variante; aucun sens en dehors de ce qui est l'histoire longue de l'Occident qui commence avec l'Antiquité, et pas davantage en dehors de l'histoire des autres sociétés coloniales issues de la dynamique européenne. L'Histoire est un tout; elle ne se sépare pas en tranches qui seraient intelligibles l'une sans l'autre. Étudier le Moyen Âge est donc indispensable pour connaître l'histoire de l'Occident.

L'Antiquité, le Moyen Âge, la Modernité constituent les trois grandes phases de cette histoire, dont l'Europe fut le berceau avant de se développer dans d'autres parties du monde, dont l'Amérique. En définir les balises et les caractéristiques pourra toujours paraître réducteur, mais c'est une démarche indispensable pour rendre intelligibles les différences entre les sociétés et leur évolution. On parle de l'Antiquité pour désigner les civilisations qui se sont développées depuis l'apparition de l'écriture vers -3000 jusqu'à la christianisation de l'empire romain au quatrième siècle apr. J.-C. Le Moyen Âge s'étend de ce quatrième siècle aux grands bouleversements culturels qui marquèrent l'Europe entre le seizième et le dix-huitième siècle. La Modernité caractérise la civilisation européenne et ses dérivés coloniaux depuis le dix-septième siècle jusqu'à nos jours. L'expression « moyen âge » a été utilisée dès le quinzième siècle en Italie pour désigner l'âge moyen — entendons médiocre — qui se situe entre la « belle Antiquité » et la triomphante Modernité. On commença à parler de « civilisation médiévale » (ou féodale) à la fin du dix-huitième siècle lorsque les philosophes des Lumières définirent les règles de la science historique et les grandes périodes de l'évolution humaine. Ainsi considéré, le Moyen Âge est un espace-temps : le temps est la période comprise entre la fin de l'empire romain (on retient généralement la date de 476) et l'ère des révolutions; l'espace est l'Europe, de l'Ukraine à l'Atlantique, de la Scandinavie à l'Andalousie. Des précisions ont été apportées par les historiens à ce « long Moyen Âge[1] » (l'expression est de Jacques Le Goff); beaucoup font s'achever le Moyen Âge au quinzième siècle (chute de l'empire byzantin en 1453, découverte de l'Amérique en 1492), d'autres le font commencer au début du quatrième siècle, d'autres encore au huitième (et parlent alors d'Antiquité tardive pour qualifier les quatrième-huitième siècles). La seule solution pour sortir de ce flou est de ne pas s'arrêter à des événements, mais de considérer les changements structurels qui marquèrent l'ensemble de l'organisation sociale en profondeur et qui, nécessairement, ne se sont pas produits en des moments précis, mais lors de phases plus ou moins longues. Ainsi, on considérera les quatrième et cinquième siècles comme la phase de mise en place de la civilisation médiévale : conversion de l'empire romain au christianisme, définition du dogme et mise en place de l'institution ecclésiale, établissement d'une

1. Jacques Le Goff, *Un Moyen Âge en images*, Paris, Hazan, 2000.

philosophie chrétienne et d'une nouvelle pensée de l'ordre social ; et les dix-septième et dix-huitième siècles comme la phase de déstructuration de cette civilisation pour laisser place à une autre radicalement différente : naissance de l'économie capitaliste, destruction de la philosophie chrétienne par les sciences rationnelles et expérimentales, extension de la civilisation européenne par le biais de la colonisation, révolutions politiques et établissement des régimes démocratiques.

Ainsi considéré, le Moyen Âge (ou civilisation médiévale) se caractérise par la place centrale du christianisme. Évacuons tout de suite une erreur d'interprétation. Il ne s'agit pas d'une affaire de « religion ». Le christianisme médiéval n'est pas une « religion » au sens pris par ce terme depuis le dix-huitième siècle, c'est-à-dire une croyance librement choisie et consentie ; il s'agit d'une structure sociale, soit un ensemble de normes, de valeurs et de principes qui s'imposent à tous et qui marquent l'ensemble des activités humaines, tant concrètes et sociales que mentales. À titre de comparaison, on peut dire que le capitalisme dans la société nord-américaine actuelle joue exactement le même rôle que le christianisme au Moyen Âge : il règle toutes les activités humaines, sans forcément que l'on en soit conscient ni que l'on nous l'impose.

La société médiévale est fonctionnellement inégalitaire et hiérarchisée. On peut se figurer la hiérarchie médiévale comme une échelle qui part de la terre et rejoint le ciel : plus on est près de Dieu, plus on se situe sur un degré élevé de l'échelle et plus on occupe une position dominante au sein de la société. Le sommet de la hiérarchie est ainsi tenu par les ecclésiastiques, soit l'ensemble des hommes qui consacrent leur vie au service divin. Ils guident les autres hommes dans la conduite de leur existence, considérée comme un long cheminement pour passer de l'état charnel à l'état spirituel. La domination sur les hommes et les terres est l'autre fondement de la puissance au Moyen Âge, mais pour exercer légitimement leur autorité, les puissants doivent orienter leur vie en fonction des principes énoncés par l'Église. Le roi ne l'est que « par la grâce de Dieu » ; les aristocrates ne sont légitimes que s'ils manifestent publiquement leur soutien à l'Église. Clercs et aristocrates forment les deux branches du groupe dominant. Ils sont des frères ennemis, nécessairement alliés, membres des mêmes familles. La branche ecclésiastique (ceux qui prient : les *oratores*) est théoriquement au-dessus de la branche aristocratique (ceux qui combattent : les *bellatores*), mais la longue histoire du Moyen Âge montre une série de renversements et, à la fin de la période, il est clair que ce sont les aristocrates qui l'emportent. Le troisième groupe rassemble tous ceux qui ne sont pas des guides, mais des dominés : ceux qui peinent, courbés dans les champs pour cultiver la terre, élever le bétail, assurer le ravitaillement de tous (les *laboratores*). Les trois groupes sociaux sont unis les uns aux autres par un ensemble de serments, tant égalitaires au sein du même groupe (promesses d'entraide, d'échanges, etc.) que hiérarchiques entre les groupes (promesses d'obéissance et de protection, obligations de dons, etc.). Ces relations entre les groupes assurent la cohésion de la société.

On a souvent parlé d'une civilisation médiévale divisée en trois « ordres » fonctionnels — le mot « ordre » désignant ici un genre de vie fortement organisé. Mais si l'on regarde de près, la division est plus binaire que ternaire : d'une part, le groupe des dominants, minoritaire mais très puissant, formé des aristocrates et des ecclésiastiques; d'autre part, le groupe des dominés, en écrasante majorité numérique mais dépourvu de l'essentiel des prérogatives de décision. La division en deux groupes hiérarchisés (clerc-laïc, seigneur-fidèle) se retrouve à un niveau bien plus général dans l'opposition homme-femme. Au sein de chaque groupe, l'homme est supérieur à la femme, et dans le groupe dominant, celui des clercs, la femme est totalement exclue.

La civilisation médiévale est profondément rurale. On estime que près de 90% de la population cultive la terre, d'abord pour son propre usage, mais aussi pour l'approvisionnement de ceux qui ne cultivent pas, à travers les services et les dons aux aristocrates. Si l'on met à part le groupe dominant qui est exempt du travail de la terre (parce qu'il doit combattre, protéger, guider ou enseigner), le statut fondamental de tout homme est d'être un producteur : producteur des fruits de la terre ou producteur de l'artisanat. Une telle organisation ne laisse aucune place au commerce, qui repose uniquement sur l'exploitation de la production des autres. Aussi, pendant de nombreux siècles, le commerce ne fut pas une activité propre : tout marchand était aussi un producteur et tout producteur était aussi, souvent, un marchand. Lorsqu'à partir du douzième siècle des marchands professionnels s'organisèrent, ils furent très mal considérés par les institutions dominantes et même s'ils devinrent riches et puissants ils ne constituèrent jamais, pendant tout le Moyen Âge, un groupe social valorisé.

Dans l'Antiquité, la production agricole reposait en grande partie sur l'esclavage : les grands propriétaires faisaient exploiter la terre par des hommes non libres. La disparition du système agricole romain s'accompagna d'une disparition progressive de l'esclavage au profit d'un nouveau type de domination sur les terres et les hommes. Les exploitants se sont vu attribuer par les maîtres (les seigneurs) les terres qu'ils exploitaient et ils pouvaient désormais les quitter, les échanger, les vendre. Ils ne devinrent pas pour autant des propriétaires privés, comme dans les sociétés modernes, mais des tenanciers libres tenus d'effectuer des services au profit des seigneurs. Ces services prenaient la forme de corvées obligatoires, de cens ou redevances versés majoritairement en nature (une partie de la récolte) et parfois en argent, à date fixe correspondant généralement aux grandes fêtes du calendrier agricole et religieux (la Saint-Jean-Baptiste, 24 juin, la Saint-Michel, 29 septembre, la Saint-Martin, 11 novembre). Nulle terre n'était dépourvue de seigneur. Lorsqu'un seigneur vendait ou donnait une terre à un autre seigneur ou à l'Église, il transférait en même temps les droits sur celle-ci et les services dus par les exploitants ; de même lorsqu'un exploitant vendait sa terre ou l'échangeait, les services étaient dus par le nouvel exploitant.

L'organisation des campagnes a été le cadre d'une extraordinaire dynamique qui a transformé l'Europe en profondeur. Les historiens, à la suite de Robert Fossier, ont appelé ce phénomène l'« encellulement[2] ». On entend par là les processus de regroupement et d'organisation de la vie rurale qui se sont mis en place entre le neuvième et le treizième siècle à travers toute l'Europe : naissance des villages groupés autour des églises et des châteaux, dans lesquels cohabitent morts et vivants (auparavant les sépultures n'étaient pas dans l'habitat et celui-ci

2. Robert Fossier, *Enfance de l'Europe. Aspects économiques et sociaux*, Paris, PUF, 2 vol.,1982.

n'était pas toujours strictement sédentaire) ; naissance des cellules de vie communautaire (la paroisse, la seigneurie, la communauté villageoise) ; amélioration des conditions d'exploitation de la terre et du niveau de vie ; essor des échanges commerciaux, développement de l'artisanat et des villes ; essor culturel caractérisé notamment par les écoles (neuvième siècle) puis les universités (douzième siècle), l'architecture et l'art dans les églises. Il est difficile de dire quel a été le moteur principal de cette dynamique. On remarque cependant qu'elle va de pair avec un fort encadrement des populations, tant par l'Église que par l'aristocratie laïque, qui se sédentarise dans les campagnes et exerce une domination concrète sur les hommes et les terres. Contrairement à l'image traditionnelle des campagnes écrasées par les seigneurs et opprimées par l'Église, il faut au contraire voir dans ces cinq siècles l'épanouissement d'une civilisation très structurée qui mit au point des innovations techniques majeures (moulin à vent, métallurgie industrielle, céramique à très haute cuisson, charrue et attelage frontal, vitrerie architecturale, etc.). La seigneurie et la paroisse, cellules de vie harmonieuses dans la plupart des cas, furent le cadre d'une émancipation sociale sans précédent dont les produits les plus spectaculaires sont peut-être les milliers d'églises romanes qui ponctuent chaque village, les châteaux forts, les cathédrales gothiques dans les villes et les défrichements massifs des terres.

La dynamique médiévale a fortement transformé l'espace. L'encellulement mit en place des lieux qui polarisaient la vie sociale : villages, églises paroissiales, villes, châteaux. Ces lieux définirent des zones communautaires qui marquèrent durablement le paysage (les villages créés en Europe entre le neuvième et le treizième siècle sont toujours en place, aux mêmes endroits) : terres agricoles, zones forestières d'exploitation, aires de pâturage, le tout déterminant un dense réseau de chemins qui reliaient les différentes zones et les villages. Dans l'empire romain, l'espace était structuré par un réseau de voies pavées qui partaient du centre — Rome — vers les villes. La civilisation médiévale créa à la place un maillage extrêmement serré de chemins qui inscrivit la marque de l'homme dans les campagnes. Une grande partie de ces chemins existe toujours ;

ils sont l'un des traits qui distingue le plus l'Europe de l'Amérique du Nord. En reliant les communautés locales les unes avec les autres, ces chemins créaient un espace social immense, que l'Église appela la chrétienté et qui était destiné à s'étendre. Aussi les chemins furent-ils des voies vers les extrémités du monde. De grands pèlerinages se mirent en place aux dixième et onzième siècles pour rejoindre Rome, Jérusalem, Saint-Jacques-de-Compostelle, soit des lieux qui représentaient le centre (Rome) ou la périphérie absolue (Jérusalem et Saint-Jacques étaient situés aux deux extrémités de l'espace chrétien). Le mouvement des croisades, qui se mit en place à la fin du onzième siècle, s'inscrivit dans le même processus d'extension et d'unification de la chrétienté. Déplacements encore que ceux des marchands qui, dès le douzième siècle, parcoururent terres, fleuves et mers pour approvisionner les cours aristocratiques et les villes en matériaux précieux ; déplacements que ceux des maîtres et des étudiants qui fondèrent les universités aux douzième et treizième siècles et diffusèrent le savoir ecclésiastique aux quatre coins de l'Europe.

C'est dans ce contexte profondément positif que des déplacements encore plus lointains furent entrepris dès la deuxième moitié du treizième siècle par des marchands, des religieux, des aristocrates. Voyages qui, à l'instar de celui de Marco Polo, permirent aux Européens de connaître une autre civilisation alors brillante, celle de la Mongolie, et qui conduisirent, dès la deuxième moitié du quinzième siècle, à la conquête de l'Afrique et de l'Amérique. Ces expéditions furent le produit de la dynamique de l'Europe, dont les racines résidaient dans le christianisme et dont les modalités spécifiques étaient dues à l'encellulement. L'Europe continentale, bien archaïque sous l'Antiquité, est devenue le centre du monde, dominant, conquérant. La situation a duré jusqu'au vingtième siècle et la Modernité conquérante du capitalisme est sur bien des points l'héritage culturel du christianisme expansionniste du Moyen Âge.

Ces quelques lignes ne présentent qu'un canevas très amaigri de la civilisation médiévale. Bien des choses devraient être ajoutées, mais au lieu d'enchaîner des faits dont on pourra prendre connaissance dans des ouvrages plus développés, on conclura sur le potentiel libérateur de l'étude du Moyen Âge.

Le Moyen Âge, comment et pour quoi faire ?

La civilisation médiévale est radicalement différente de la nôtre mais elle est aussi la matrice à partir de laquelle nos sociétés modernes sont nées. Pour la comprendre, il faut quitter nos yeux contemporains et faire un effort d'abstraction. Il s'agissait d'une société profondément efficace, tout en étant profondément inégalitaire et totalement opposée aux valeurs qui sont pour nous les plus importantes. Il n'importe pas de juger le Moyen Âge, que ce soit pour en faire un âge des ténèbres ou, de manière tout aussi absurde, une période progressiste qui pourrait nous inspirer. Le passé n'inspire rien, ne guide rien, ne dicte rien. Il nous apprend l'humilité, la liberté et l'altérité. L'humilité parce qu'une civilisation qui dure plus de mille ans est une civilisation qui marche et qui a un sens ; le fait qu'elle soit radicalement différente de la nôtre montre qu'il existe de multiples manières d'organiser le social et que la nôtre n'est pas plus « naturelle » que les autres. Liberté parce que ce constat de la différence sociale nous permet de rêver et nous ramène aux fondements mêmes de l'Histoire, née de la philosophie des Lumières : un autre monde est possible ; ce sont les hommes qui font l'Histoire, qui construisent et peuvent défaire des institutions, en essayant de corriger les erreurs et d'améliorer le sort collectif. Cette leçon devrait, plus que toutes les autres, être méditée aujourd'hui, en ces temps où le rouleau compresseur de la mondialisation dévalorise toute idée de différence sociale. Altérité enfin parce que l'homme du Moyen Âge est comme l'aborigène d'Australie ou le bédouin du Moyen-Orient. Un autre, qui n'a ni les mêmes valeurs, ni la même conception de l'être humain, ni la même organisation sociale que la nôtre ; mais un autre qui est aussi notre semblable et qu'il convient de comprendre.

Didier Méhu est professeur d'histoire et d'histoire de l'art du Moyen Âge à l'université Laval. Il est notamment l'auteur de Gratia Dei. Les chemins du Moyen Âge *(Fides, 2003) et de* Paix et communautés autour de l'abbaye de Cluny. X^e^-XVe siècle *(Presses universitaires de Lyon, 2010).*

La poésie pour apprendre à mourir (et à vivre)

Antoine Boisclair

Bien mal avisé qui voudrait définir la poésie à l'aide d'une formule commode susceptible de clore les débats sur sa nature, son rôle ou ses fonctions. Non qu'il n'y ait rien qui puisse correspondre à l'idée générale que l'on s'en fait, mais ce genre littéraire — est-ce bien un genre littéraire ? — résiste à la plupart des catégories formelles, thématiques ou stylistiques auxquelles on l'associe généralement. Remarquant qu'il n'existe aucun poème parfait, ou du moins aucun poème universellement reconnu comme tel, l'auteur italien Eugenio Montale a ainsi déjà émis l'hypothèse, non sans humour, que la « poésie n'existe pas » (c'est le titre d'un de ses essais). La poésie serait plutôt un horizon vers lequel tend le poème, un point de repère mouvant — une utopie ou un mirage, diront certains. Il n'en demeure pas moins que le mot « poésie », malgré tous les sens qu'on lui prête, est employé pour désigner quelque chose. À quoi correspond approximativement cette chose ? D'où vient-elle ? Et pourquoi devrait-on s'y intéresser ?

Prières, chants, célébrations ou déplorations ; mythes, cosmogonies, réflexions métaphysiques : sous un angle anthropologique, ce que l'on nomme « poésie » provient des pratiques culturelles les plus anciennes. Nous savons à cet égard que les Grecs, puisqu'il faut fixer un point de départ, ont récité et écrit des poèmes qui s'apparentent à ces pratiques. Le concept de « poésie » regroupait chez eux différents genres, dont l'épopée et la tragédie, mais des auteurs ont développé des discours lyriques déplorant une perte (c'est le sens des péans et des thrènes, qui chez Pindare s'apparentent à des chants de deuil) ou célébrant au contraire une présence, un héros ou un dieu (Sappho écrit ainsi un hymne à Aphrodite). On ne lit guère aujourd'hui la poésie lyrique grecque, non seulement parce qu'il ne nous en reste que des fragments, mais aussi parce que sa fréquentation exige des mises en contexte historique importantes qui en découragent plus d'un. On s'intéresse cependant davantage à la poésie des penseurs dits « présocratiques » qui, tels Héraclite ou Parménide, peuvent être considérés comme des précurseurs de la philosophie grecque au même titre que des fondateurs de la poésie occidentale. La *Théogonie* d'Hésiode, les chants homériques et certains livres de Platon, dont le *Timée*, comportent aussi un aspect poétique indéniable. Poser la question des origines de la poésie, on le constate rapidement, revient aussi à poser celle de sa nature. Poésie et philosophie nous apparaissent dès lors comme deux types de discours issus d'une même famille. Par le fait même, si nous nous demandons pourquoi enseigner la poésie ou pourquoi la culture poétique mérite d'être transmise, nous pourrions offrir une première réponse générale : un poème, au même titre qu'un traité philosophique, propose une manière particulière de penser ou de comprendre le monde. Si la poésie et la philosophie n'emploient pas le même langage — nous y reviendrons plus loin —, ces catégories discursives ont en commun d'appartenir au domaine de la pensée.

Mais la figure centrale de la poésie grecque, celle qui nous en apprend peut-être le plus sur la nature et les fonctions qu'on attribue au poème depuis ses origines connues, pourrait bien être celle d'Orphée, ce héros mythologique incapable d'endurer le deuil de la femme qu'il aime, Eurydice, et qui grâce au pouvoir de son chant (ou de sa lyre) a pu accéder au royaume des morts pour tenter de la ramener à la vie. En vertu de ce mythe, la poésie est tout d'abord un moyen de combler un vide, de répondre à la mort de l'être aimé. Encore aujourd'hui, en particulier dans nos sociétés laïques, la poésie est une façon presque naturelle d'affronter la mort, non pas de la « comprendre » ou de l'« accepter », mais plutôt de nous aider à y faire face. Quand la prière s'avère inefficace pour vivre les moments tragiques de l'existence, la poésie vient souvent en renfort. La poésie répond à une absence, donc, et comporte une dimension métaphysique fondamentale. De la philosophie, Montaigne disait qu'elle nous « apprend à mourir ». Nous pourrions en dire autant de la poésie.

L'essayiste Maurice Blanchot disait pour sa part que le mythe d'Orphée révèle une des fonctions principales de la création artistique : ramener à la surface du jour ce qui nous est voilé ou obscur. Sous cet angle, une des fonctions du poème consisterait à découvrir ce que l'on dissimule en nous (dans notre inconscient, disent les psychanalystes) et à mieux nous connaître. La poésie (et l'art en général) posséderait en ce sens des fonctions heuristiques et identitaires. Aristote, qui s'oppose à Platon sur ce point, attribuera à la poésie ces fonctions, en plus de l'envisager comme une forme de libération ou de purgation susceptible d'adoucir les mœurs publiques. On conteste aujourd'hui cette fonction « morale » de la poésie et de la littérature — la modernité refuse d'instrumentaliser l'art, de le soumettre au règne de l'utile —, mais il n'en demeure pas moins que la lecture d'un poème, pour peu que le lecteur y soit disposé, contribue à la découverte de soi. Cette fonction du poème pourrait justifier à elle seule son enseignement, sa transmission.

Le mythe d'Orphée laisse aussi entendre que la poésie est un chant. Troubadours et trouvères, au Moyen Âge, vont à leur façon prendre le relais des Grecs et confirmer la dimension musicale de la poésie. La plupart des textes qui ont marqué l'histoire de la poésie occidentale, qu'il s'agisse des complaintes de Rutebeuf, des sonnets de Pétrarque, des rondeaux de Charles d'Orléans ou des ballades de François Villon, étaient d'ailleurs destinés au départ à être chantés, et il faudra attendre la fin du dix-neuvième siècle pour que la poésie revendique sa propre musicalité (« De la musique avant toute chose », écrit Verlaine) et valorise davantage la discontinuité (pensons à l'invention du vers libre), le fragmentaire (le « coup de dés » de Mallarmé est à cet égard emblématique) et, plus généralement, les sujets moins propices au chant. On met difficilement en musique un poème surréaliste, un aphorisme de René Char ou un poème en prose de Francis Ponge. Ou alors on dénature son propos en l'interprétant, on le transforme en enlevant à l'écriture la possibilité d'instaurer chez le lecteur une « scène intérieure » (Mallarmé). Il existe plusieurs formes de poésie qui se prêtent encore à la chanson (on a même remarqué dernièrement un retour à l'oralité avec l'émergence du « slam »), mais la plupart des poèmes qui s'écrivent aujourd'hui appellent encore une lecture silencieuse. Car la poésie est aussi une forme de recueillement, une manière de se placer en retrait du grand bavardage mondialisé, de sa cacophonie médiatique et de ses rumeurs publicitaires. Il s'agit ici d'une autre de ses fonctions importantes, particulièrement dans le contexte social actuel marqué par la communication rapide et les discours prêts à consommer. La poésie impose une lenteur, sa fréquentation permet de prendre ses distances vis-à-vis un monde où tout s'effectue très (ou trop) rapidement.

L'éternel débat entre la chanson et la poésie repose peut-être sur l'ambiguïté de l'adjectif « poétique », qu'on emploie de manière très variée quand il s'agit d'art. On dit parfois d'une pièce musicale, d'un tableau ou d'un film qu'ils comportent un aspect « poétique ». Qu'est-ce à dire ? Dans de tels cas, l'adjectif se rapporte souvent à la beauté de l'œuvre, à son caractère émouvant... Mais la poésie cherche-t-elle toujours à exprimer la beauté et l'émotion ? Est poétique, disent les détracteurs de la poésie, tout ce qui relève du lyrisme facile, de l'emportement, de la sensiblerie. On associe le poétique — et par extension la poésie — à une vision du monde quelque peu naïve et fleur bleue. Ainsi un film sera qualifié de « poétique » lorsque deux amants s'embrasseront devant un coucher de soleil... Nous savons pourtant que la poésie ne s'écrit pas seulement avec de bons sentiments (*Les fleurs du mal* de Baudelaire l'ont suffisamment prouvé) et qu'au contraire elle se plaît souvent à « injurier » la Beauté comme l'a fait Rimbaud. Autre malentendu concernant l'adjectif « poétique » : on veut nous faire croire que le poète, ce rêveur déconnecté de la réalité, est trop idéaliste et s'avère incapable de se mesurer à la prose du monde, à cette « réalité rugueuse à étreindre » dont parlait également Rimbaud. On expliquerait ainsi le caractère abstrait et hermétique de la poésie moderne qui, contrairement au roman, manquerait d'emprise sur le réel. Pour répondre à ces accusations parfois justifiées — car il existe une telle littérature —, il faut mentionner que plusieurs auteurs de langue française des dix-neuvième et vingtième siècles, de Jules Laforgue à Jacques Réda en passant par Guillaume Apollinaire ou Francis Ponge, se sont réclamés d'une certaine forme de réalisme. En ce sens, on ne peut réduire la poésie à du « pelletage de nuages », comme on le fait souvent, pas davantage qu'on ne peut se contenter d'associer le sentiment poétique au débordement lyrique. Des poètes majeurs du vingtième siècle — pensons à Wallace Stevens, Fernando Pessoa, Paul Celan, etc. — ont fait de la poésie un acte de lucidité qui s'oppose justement à ce débordement.

Comment, dès lors, circonscrire le domaine de la poésie? Et surtout : à quoi bon la poésie aujourd'hui? Pourquoi la connaître semble-t-il nécessaire?

Une hypothèse est souvent avancée pour répondre à la première question : la poésie offre une manière de penser et de voir le monde qui repose sur l'emploi des images, en opposition au langage conceptuel de la philosophie. Les genres dits narratifs (roman, nouvelle, récit) emploient pour la plupart des personnages; le théâtre se construit à partir de dialogues ou de monologues; et la poésie, quant à elle, pense avec des images. La poésie pense *en* images, en métaphores, allégories ou métonymies. Il nous resterait ici à définir ce en quoi consiste une image — la question est évidemment loin d'être simple —, mais ces différences fondamentales permettent souvent de distinguer la poésie des autres genres littéraires, pour peu qu'il soit nécessaire de les distinguer les uns des autres. Car il y a évidemment des cas ambigus : Pierre Michon, Pierre Bergounioux ou François Bon, pour nommer quelques prosateurs français contemporains, écrivent des récits avec des personnages, mais leur langage imagé donne sans aucun doute une dimension poétique à leur œuvre. Le débat n'est pas clos à savoir si *La recherche du temps perdu* de Marcel Proust n'est pas un long poème.

On dit aussi que la poésie, écrite en vers ou en prose, se caractérise par l'importance qu'elle accorde au rythme. C'est notamment le point de vue que développe le poète Jacques Brault (lire à ce sujet l'éclairant essai *Dans la nuit du poème*). À la question concernant l'utilité de la poésie, de son enseignement et de sa transmission, une réponse plus complète pourrait alors être formulée ainsi : cette forme de discours offre un point de vue sur le monde non pas par le biais de concepts, mais par un mélange d'images et de rythmes. La poésie offre une manière de penser et une manière de voir le monde étrangères à d'autres formes de discours (le langage scientifique, la philosophie, la narration romanesque, etc.) parce qu'elle repose sur d'autres fondements. La « vérité poétique », celle qui nous fait aimer un poème, diffère des vérités mathématique ou conceptuelle. Cela devrait suffire à justifier son existence ou son importance : la poésie contribue à la diversité de la pensée humaine. Elle est une flamme de bougie qui vacille dans la nuit. Une « lampe d'argile », pour reprendre une image de Saint-John Perse, qui nous éclaire lorsque le langage ordinaire — celui de la communication, celui qu'on échange comme une pièce de monnaie à des fins pratiques — ne suffit plus pour identifier, représenter ou suggérer ce qui nous habite et demande à être exprimé. Devant l'inexprimable ou l'innommable — l'énigme de notre réalité en ce monde, la mort —, la poésie, à défaut de proposer une réponse, offre une forme d'apaisement. C'est peu et beaucoup à la fois.

Professeur de littérature au collège Jean-de-Brébeuf, Antoine Boisclair a publié un recueil de poèmes intitulé Le bruissement des possibles *(Noroît, 2011), une étude sur la poésie québécoise,* L'école du regard. Poésie et peinture chez Saint-Denys Garneau, Roland Giguère et Robert Melançon *(Fides, 2009) et dirigé* Lignes convergentes. La littérature québécoise à la rencontre des arts visuels *(Nota bene, 2010).*

Pour la suite du monde

Yves Lacroix

Quand je m'installe à Montréal en 1962 afin de poursuivre mes études à l'université, je fréquente depuis quelques années l'Élysée de la rue de Bullion et les cinémas de la rue Sainte-Catherine. Au Festival des films du monde, j'avais été fasciné par les œuvres récentes d'Antonioni, ces films du quotidien et de la lenteur. Informé par *Les Cahiers du cinéma,* les revues québécoises *Séquences* et *Objectif,* j'avais un parti pris pour les cinéastes de la « nouvelle vague » française et d'un cinéma documentaire de l'Office national du film qualifié de *candid eye*. J'avais vu *La lutte,* puis *Les raquetteurs* tournés en des lieux et avec des gens qui m'étaient familiers. Au début de l'été, on avait projeté *Seul ou avec d'autres* à la Comédie canadienne, un film d'une audace exceptionnelle. Je découvrais un cinéma nouveau, des films singuliers, signés, attentifs au quotidien des gens ordinaires et à la durée de leurs gestes.

À la fin de décembre, j'étais invité à accompagner à l'ONF une étudiante du département d'anthropologie, pour la projection d'une version de trois heures d'un document filmé de Michel Brault sur une pêche aux marsouins intitulé *L'Île-aux-Coudres.* La présentation en fut faite par le producteur Fernand Dansereau, le réalisateur Michel Brault et le monteur Werner Nold à des journalistes et à des universitaires, déjà familiers des films de Jean Rouch et de Robert Flaherty, qu'on voulait faire profiter de la documentation enregistrée avant qu'on en réduise le métrage. Les réactions de ce public allaient aussi inspirer les choix définitifs du montage. Ma séduction fut aussi totale que ma surprise. Sur la côte nord du Saint-Laurent, je n'étais jamais allé au-delà de Sainte-Anne-de-Beaupré, je n'avais jamais entendu parler de Charlevoix, j'ignorais l'existence de cette île aux Coudres, où survivait une telle culture, œuvraient des navigateurs et des pêcheurs aussi passionnants que ceux tant célébrés de l'île d'Aran.

En avril de l'année suivante, j'étais invité à La Boulangerie, le théâtre des Apprentis-Sorciers, pour la projection de *Pour la suite du monde,* un film de Pierre Perrault. La surprise du film, en son métrage définitif, fut redoublée, égale fut la séduction des mêmes situations, des mêmes gestes, des mêmes répliques. Rien n'avait été sacrifié de l'éloquente spontanéité que j'avais tant appréciée dans la première version.

Je l'apprendrai plus tard… dans la continuité d'une quête identitaire des nationalistes et des régionalistes québécois, qui avaient décrit et célébré les métiers traditionnels du Québec, Pierre Perrault, alors scripteur à Radio-Canada, avait commencé à enregistrer des artisans de Charlevoix afin de documenter ses textes de la série radiophonique *Au pays de Neufve-France,* réalisée par Madeleine Martel. Sa quête s'était précisée ensuite pour une série télévisuelle du même titre produite par Crawley Films et Radio-Canada. Le film-pilote, inspiré d'un article de Félix-Antoine Savard, en sera *La traverse d'hiver à l'Île-aux-Coudres,* dans lequel court métrage sont proposés les premiers récits d'Alexis Tremblay. Sur la côte nord du Saint-Laurent, depuis Petite-Rivière-Saint-François jusqu'à Blanc-Sablon, Perrault a documenté le tournage de la série dont était responsable René Bonnière. Le montage des treize films a profité des commentaires rédigés par Perrault pour la série *Au pays de Neufve-France.* Deux tournages projetés n'ont toutefois pas abouti. Jugé insatisfaisant, le métrage d'une chasse à l'orignal n'a pas été monté, et le projet d'une pêche aux marsouins a été abandonné, sa réalisation jugée trop onéreuse.

L'année suivante, inspiré par une description que lui a faite Fernand Dansereau du tournage de *La pyramide humaine* de Jean Rouch avec des lycéens d'Abidjan, Perrault propose à Radio-Canada un « téléthéâtre filmé », dans lequel on reprendrait fictivement les pêches aux marsouins de l'île aux Coudres. Profitant de la connaissance que le scripteur a de l'île et de quelques insulaires, une histoire y est scénarisée, des personnages sont décrits, mais ceux-ci devaient être interprétés par des gens de l'île, lesquels décideraient des événements de la pêche. Le projet est accepté par Roger Rolland qui en propose la réalisation à l'ONF où Fernand Dansereau, responsable de la production française, confie le travail à Michel Brault. Celui-ci a raconté qu'il lui avait suffi d'entendre Alexis Tremblay décrire la pêche sur les battures de l'île pour proposer à Perrault d'abandonner son scénario et de profiter des nouvelles caméras au son synchronisé pour accompagner les gens dans une geste dont ceux-ci décideraient.

Dans la mouvance du *candid eye*, une pratique des réalisateurs anglophones de l'ONF, Michel Brault avait tourné *Les raquetteurs,* en 1958, avec Gilles Groulx et Marcel Carrière, un court métrage qu'on peut considérer comme le fondateur du cinéma-vérité au Québec. En effet, pour la première fois dans l'histoire du cinéma, on avait enregistré, sans mise en scène, des gens tels qu'ils étaient, en activité, tels qu'ils s'exprimaient. C'est le visionnement de ce film au séminaire Flaherty en Californie, qui aurait inspiré à Rouch l'idée d'engager Brault à travailler avec lui au tournage de *Chronique d'un été* pendant l'été 1960. La caméra mobile de Brault lui permettrait de rompre la rigidité des entrevues et de travailler discrètement et en complicité avec les personnes interpellées.

Brault venait de rentrer au Québec — après avoir travaillé avec Rouch et collaboré au tournage des *Inconnus de la terre* de Mario Ruspoli — quand l'ONF l'a missionné auprès des étudiants de l'université de Montréal, pour le tournage d'un film qui, par le biais d'une histoire scénarisée, interprétée par des étudiants, allait documenter la rentrée universitaire. L'exercice ressemblait à celui que Pierre Perrault allait proposer à Radio-Canada. Et comme il le suggérera à Perrault, Brault a proposé aux étudiants de remplacer leur scénario par un synopsis et d'abandonner la dynamique de l'histoire à l'improvisation des cinéastes et des comédiens au moment du tournage.

Ce film trop méconnu, réalisé par les étudiants Denys Arcand, Denis Héroux et Stéphane Venne, assistés de Michel Brault et Gilles Groulx, s'intitulera *Seul ou avec d'autres.* Ce sera le premier exercice d'un cinéma direct qui atteindra sa pleine éloquence avec *Pour la suite du monde*, qui s'inscrit dans une tradition documentaire de l'Office national du film appliquée à cueillir des traditions du pays avant qu'elles ne disparaissent. L'expérience des cinéastes a permis la création d'une œuvre singulière, fondatrice d'un nouveau cinéma.

Auprès de Rouch, Brault avait travaillé avec la première caméra 16 mm, vraiment portative, avec prise de son synchronisée. Il accompagnait les Parisiens interrogés sur leur être et leur vie, à proximité, parfois les précédait, parfois leur tendait un microphone visible dans l'image. La leçon allait servir au Québec. À l'île aux Coudres, il allait travailler encore avec une 16 mm plus lourde que celle dont il avait disposé en France, mais il allait s'en servir comme d'une caméra à l'épaule. De plus, elle était trop bruyante pour permettre un enregistrement rapproché, ce qui a rendu obligé l'autonomie du preneur de son, Michel Carrière, et le recours fréquent au téléobjectif pour des plans synchronisés. C'est au montage de Wernel Nold qu'est créé un important effet de synchronisation expérimenté dans des films comme *La lutte* et *Les raquetteurs.*

Chez Rouch, les gens disent ce qu'ils croient être, ce qu'ils pensent de leur vie, ce qu'ils croient penser. Pour susciter des vérités équivalentes, Perrault et Brault lancent les gens dans une aventure extraordinaire qui devait engager tout leur être, les projeter dans l'éloquence. La pêche aux marsouins n'est pas l'objet premier du film, elle est le catalyseur de l'événement filmé.

Ce qui a toujours passionné Perrault, c'est la parole. Dans *Pour la suite du monde,* Brault et Carrière avec lui montrent l'homme en train de parler. Ils montrent ce dont il parle, pourquoi il parle, la réalité qui fonde et justifie la parole. Cette parole est ici imagée et poétique, aux accents de vieux français. Les cinéastes laissent les insulaires raconter et décrire leur existence collective, et ce sont eux-mêmes que les insulaires décrivent, définissent, quand ils décrivent et commentent les événements de leur communauté. L'objet traqué par les cinéastes est la parole en acte, par laquelle les insulaires s'exposent dans une culture nourrie de foi et de légendes. La réalité du film est dans la richesse spirituelle de ces hommes.

Perrault avait donc persuadé Léopold Tremblay, un marchand de l'île, de convaincre ses concitoyens de relancer une pêche singulière qui n'avait pas été réalisée depuis quarante-huit ans.

Léopold Tremblay est le délégué des cinéastes dans la réalité de la pêche, un mandataire parfois inspiré par Perrault, dans une opération financée par l'ONF, mais autonome, libre des décisions fonctionnelles. Toujours à proximité, informé par sa fréquentation des lieux, des gens et des récits, Perrault prévoit les épisodes, rappelle des propos déjà tenus, suggère parfois des discussions, provoque des affrontements éloquents, prévient Michel Brault et Marcel Carrière qui demeurent également libres de leur travail. Le tournage profite de cette familiarité de l'un, de l'attention complice et discrète des deux autres qui, au besoin, prévoient les déplacements pour ne rien rater. De novembre 1961 à juin 1962, ils vont accompagner les insulaires engagés dans les célébrations plus ou moins religieuses qui ponctuent les saisons, dans la discussion puis la disposition de la pêche, dans l'attente puis la prise du béluga. La parole enregistrée est surtout celle des Anciens, responsables de la mémoire, témoins du passé et instigateurs du futur : Alexis Tremblay le penseur sceptique, Abel Harvey l'artisan confiant et Louis Harvey le chantre inspiré.

La pêche est donc le prétexte d'une fréquentation de l'île aux Coudres, le prétexte d'une description d'une vie communautaire, la description d'une culture fondée sur la complicité des citoyens avec leurs métiers, la manifestation d'une identité fondée sur l'espace vécu et l'histoire partagée. Pour y parvenir, il fallait provoquer l'éloquence, une parole non seulement excitée par l'événement exceptionnel mais aussi incitée par une attention exceptionnelle des témoins, métaphorisée par la caméra et le magnétophone, une parole qui n'aurait pas été proférée autrement. Ce faisant, ce disant, les insulaires affichaient leur singularité collective, se découvraient en même temps une connivence avec une collectivité québécoise qui s'affirme dans la Révolution tranquille. Une parole dorénavant permanente.

Cet objet demeurera celui de Pierre Perrault, dans les films tournés en Charlevoix, puis sur la Basse-Côte-Nord et en Abitibi, dans la poursuite d'une quête identitaire qui s'achèvera avec les êtres emblématiques que sont pour lui le chroniqueur Jacques Cartier et le bœuf musqué en sa dépendance de la toundra.

Ces marins, pêcheurs, chasseurs, nomades et pionniers, ces gens sont d'ici, d'une région qui n'est plus isolée, des gens qui vivent, s'instruisent, se cultivent de leurs métiers, Perrault en cherchera l'équivalent dans Montréal pour la série radiophonique *J'habite une ville.* Le spectateur est invité à se redécouvrir avec eux. Auprès d'eux. Comme eux. Québécois.

Pour la suite du monde restera l'acte fondateur, la manifestation la plus éloquente de cette aventure. La vie n'avait jamais été captée de façon aussi directe. Cette épopée a été célébrée, on s'est inspiré de sa manière, on en a poursuivi le projet. Le cinéma de Michel Brault, également célébré, en a profité dans une autre mouvance, *Entre la mer et l'eau douce,* plus familière de la fiction, mais jamais très loin du vécu.

Le 16 mai 1963, en présence des deux réalisateurs, *Pour la suite du monde* est le premier long métrage canadien à être projeté au Festival de Cannes. En juin, une image du film illustre la couverture des *Cahiers du cinéma.* Au début d'août, il est projeté au Festival du film canadien à Montréal où il se mérite le Prix spécial du jury. En octobre, Perrault commence à Radio-Canada sa deuxième série radiophonique *Chronique de terre et de mer,* avec le matériau sonore de *Pour la suite du monde* qu'il complète avec d'autres enregistrements, certains plus anciens, d'autres qui ont été sacrifiés au montage du film. Projeté une fois à Radio-Canada, ce n'est qu'en décembre qu'il est à l'affiche à l'Élysée, rue de Bullion à Montréal.

Présenté par l'ONF dans plusieurs festivals étrangers, en 1963 et 1964, il se méritera, à Bilbao, le premier prix du Festival international du film documentaire ibéro-américain et philippin, aussi le grand prix de la Semaine internationale du film. Puis, le Drakkar d'or du festival d'Évreux, le premier prix du Festival du film de Columbus, Ohio, une mention honorable au Palmarès annuel du film canadien à Toronto, « pour ses qualités visuelles, sa perfection et son génie artistique, qui font participer le spectateur aux anciennes traditions de l'île aux Coudres ». On lui remettra un diplôme de mérite au Festival du film de Melbourne.

Ainsi commence une renommée qui ne cessera de se manifester. La perception de Charlevoix ne sera plus jamais la même. La région de Charlevoix ne sera plus jamais la même. Le tourisme va y commencer, s'y habituer…

Dans le *Quartier latin* du 16 avril 1970, les noms de Marie et d'Alexis Tremblay sont cités avec une centaine d'autres célébrités, dont Maria Chapdelaine, pour qui il fallait « finir d'être esclaves ». Le 10 février 2007, *La Presse* publie le résultat d'un sondage auprès de cinquante personnes de l'industrie du cinéma québécois : sur une liste des « cinquante plus grands films québécois », *Pour la suite du monde* est classé sixième, après *Mon oncle Antoine, Les bons débarras, Les ordres* et *Le déclin de l'empire américain. Les ordres* de Michel Brault se sera mérité le prix de la mise en scène au Festival de Cannes en 1975 et quatre prix du Canadian Film Awards la même année. Le 5 juin 2010, est inauguré, dans le parc de la Promenade Bellerive à Montréal, un monument commandé au sculpteur Roland Poulin. Intitulé *Continuum 2009. À la mémoire de Pierre Perrault,* il apparaît à la fois comme un écran et une fenêtre ouverte sur le fleuve Saint-Laurent. En septembre de l'année précédente, on avait commémoré à l'île aux Coudres le dixième anniversaire de la mort du cinéaste, « homme exceptionnel qui a laissé sa trace et influencé le Québec, le pays et particulièrement l'Isle-aux-Coudres ».

Déjà en mars 1968, dans l'émission télévisuelle française *Cinéaste de notre temps,* avait été montré un film des critiques Jean-Louis Comolli et André S. Labarthe intitulé *Pierre Perrault, l'action parlée.* « Avoir eu la chance de filmer cela, a déclaré Labarthe, a été pour nous une grande leçon de cinéma. »

La leçon ne cesse pas, diversement modulée. Le film est dorénavant inscrit dans le répertoire culturel du Québec. La célèbre réplique de Grand-Louis Harvey, retenue au montage par Michel Brault pour titrer l'œuvre, est fréquente dans l'expression des Québécois. Dans *Voir Montréal,* le 10 avril 2008, Marie-Claude Marsolais titre « Pour la suite du monde » un article qu'elle consacre à *Manifestes en série* de Hugo Latulippe, qui « décrit des gens qui travaillent en étroite relation avec leur milieu, dans la conscience de leur citoyenneté ». Dans le même hebdomadaire, le 28 août de la même année, Manon Dumais coiffe du même titre un article sur *Le banquet* de Sébastien Rose. Claude Gauthier intitule *Pour la suite du monde* le disque qu'il lance cette année-là. Dans *La Presse* du 26 septembre 2009, Jean-Christophe Laurence intitule « Pour la suite du monde » un article sur un disque récent de Gilles Vigneault qu'il cite : « Mes mots continuent leur chemin, alors que moi, je vais m'en aller. » Le 31 octobre de la même année, dans *La Presse* également, Alexandre Vigneault titre « Pour la suite du monde » son texte sur *Tout est encore possible,* la pièce de Lise Vaillancourt mise en scène par Daniel Meilleur. Sur l'affiche de son cours *100 ans de documentaire,* à l'université du Québec à Montréal, en 1998, Jean-Pierre Masse avait reproduit une image d'Alexis Tremblay, une citation de *Pour la suite du monde.*

En mai 2012, deux photos de Marie Tremblay, dont une en exergue, paraissent dans *Charlevoix 1970,* le recueil photographique de Gabor Szilasi. En introduction, Marcel Blouin inscrit l'album dans la continuité d'une description commencée par « un certain Pierre Perrault [...] qui contribuera grandement à la construction de ce lieu mythique ». Sont évoqués ses « trois documentaires inoubliables, dont *Pour la suite du monde,* en collaboration avec Michel Brault et Marcel Carrière[1] ».

Comme le rappelle Carol Faucher, dans un document préparé pour une exposition de la maison de la culture Mercier concomitante à l'inauguration du monument *Continuum* en mai 2010 : « Les questions identitaires et d'appartenance sont toujours d'actualité, plus encore aujourd'hui à l'époque de la mondialisation. Qu'est-ce qu'un pays ? La question de la langue, de la culture et de l'affirmation nationale ; notre rapport à l'environnement, à la nature ; l'occupation du territoire, la vie en région[2] ... »

Yves Lacroix est retraité de l'université du Québec à Montréal, où il a enseigné la littérature québécoise, le cinéma et la bande dessinée. Son dernier article, « Écritures de l'empremier », a paru dans Traversées de Pierre Perrault, *dirigé par Michèle Garneau et Johanne Villeneuve (Fides, 2009). Il prépare actuellement un portrait biographique du cinéaste.*

1. Marcel Blouin, « Gabor Szilasi, de la famille des constructeurs de mythes », dans Gabor Szilasi, *Charlevoix 1970,* Québec, L'instant même, 2012, p. 6-11.

2. Carol Faucher, *Continuum,* Maison de la culture Mercier, 2010.

Proust, ou la nécessité de la littérature

Martin Robitaille

Lire Proust, c'est lire l'histoire d'un miracle. Et comme dans beaucoup d'histoires de miracle, il s'agit avant tout de l'histoire d'une transformation. Aller « du côté de chez Proust », c'est vivre ou revivre, en quelque sorte, cette transformation, qui touche à la fois la vie de l'auteur, la vie du roman (si l'on veut bien admettre qu'un genre littéraire ait une vie propre, au fil du temps), et la vie du lecteur qui se laisse ravir par cette œuvre. *Se laisser* ravir n'est peut-être pas le bon terme, cependant. Les lecteurs d'*À la recherche du temps perdu* sont aspirés d'un coup dans cet univers, dès les premières phrases ou, au contraire, à la suite d'efforts non négligeables et répétés pour « entrer en contact » avec un style et une voix inimitables, efforts qui, en fin de compte, portent fruit, puisque l'« aspiration », alors, est totale, au point qu'il devient difficile de se déprendre de l'œuvre, de « passer à autre chose », de « ne plus en être ». Exploit non négligeable pour une œuvre inachevée, un roman de trois mille pages à la syntaxe parfois bancale, qui fait subir des pressions énormes à la langue française, mais sans jamais la « casser », en la gonflant, plutôt, ce qui lui fait prendre une forme nouvelle, aérienne, pas du tout lourde lorsqu'on veut bien se laisser porter — transporter — par elle. Mais Proust était asthmatique : à la recherche, sans cesse, non pas de l'inspiration, mais d'une manière d'expirer. Il arrive donc parfois qu'au fil du roman il nous enferme dans son souffle, et qu'on « manque d'air ». Il faut alors plonger avec lui, à l'aveugle, dans les eaux denses de sa prose. Lorsqu'on ressort d'une phrase interminable, d'un paragraphe démesuré, d'une digression infinie, le paysage a changé, les personnages aussi, on ne reconnaît plus rien, étrangeté et beautés se mêlent, puis les invités du début reviennent, différents, bousculés par l'amour ou par le deuil, tout cela comme dans un rêve, à la fois exaltant et angoissant. Et le miracle le voici : le narrateur-auteur est déjà passé par là, sa voix est rassurante, il connaît le chemin, il ne se trompe jamais, malgré les illusions, les chagrins, les déceptions, les fausses perceptions ; il va nous guider jusqu'au bout, vers une fin heureuse, qui se résume, dans l'histoire, à : « Marcel devient écrivain », et pour les lecteurs, à : « Devient qui tu es ». Miracles incarnés. Lire Proust, comme nous le disions, c'est donc lire l'histoire d'une triple transformation.

Transformation de l'auteur

Un écrivain est un insecte en voie de métamorphose sublime (Sollers). Définition tout à fait appropriée dans le cas de Proust. Sa vie est elle-même un roman fascinant, où il se passe peu de choses, sinon l'essentiel : une métamorphose de l'antihéros. Tout le gratin parisien se moquait gentiment de lui, et particulièrement les écrivains qu'il côtoyait, le trouvant snob, précieux, rasoir, même, par moments, à force de toujours vouloir parler. Personne ne le prenait vraiment au sérieux. On reconnaissait bien sa vive intelligence, certes, mais c'était justement ce qu'il combattait le plus dans sa conception de l'art : « l'instinct dicte le devoir et l'intelligence fournit les prétextes pour l'éluder. Seulement les excuses ne figurent point dans l'art, les intentions n'y sont pas comptées, à tout moment l'artiste doit écouter son instinct, ce qui fait que l'art est ce qu'il y a de plus réel, la plus austère école de la vie, et le vrai jugement dernier » (*Le temps retrouvé*). Écouter son instinct, contre tous, contre soi-même, et ne pas chercher simplement à divertir ou, pis encore, à écrire des « romans à thèse ».

Proust a écrit toute sa vie. Il a vécu cinquante et un ans (1871-1922), et jusqu'en 1913, à peu près tout ce qu'il réussit à écrire fut un échec (commercial, d'estime, personnel) : des articles, des comptes rendus, des nouvelles (*Les plaisirs et les jours*, avec une préface d'Anatole France), des traductions (Ruskin), un roman avorté (de mille pages, tout de même, *Jean Santeuil*), des milliers de lettres (le plus souvent névrotiques, antilittéraires, mais non moins passionnantes), des pastiches (où transparaît pourtant tout son « talent »). Seul semble surnager, rétrospectivement, *Sur la lecture*, court essai sublime, où il est moins question de considérations pédagogiques sur l'utilité de la lecture (meilleur moyen de faire fuir de potentiels lecteurs), que de réflexions sur l'enfance, la conscience, l'espace, premières pierres de *Du côté de chez Swann*, le premier tome de la *Recherche*[1]. Son père meurt en 1903, sa mère en 1905. Parents adorés, et craints. Noyau névrotique. Il ne lui reste plus que son frère, qu'il voit peu, et son réseau d'amis et de connaissances, immense. Proust se retire alors graduellement du monde, mais pour mieux tisser sa toile. Il est passé tout près de sombrer dans la folie, en 1906-1907. Puis il veut se mettre à un long ouvrage, hésite sur la forme, imagine une « conversation avec maman », qui mêle souvenirs, réflexions, critique littéraire. Arrive le « moment alchimique »(1908-1909) : le plomb de ses écrits passés, sous le signe de la mélancolie, se transforme en une matière sublimée, entièrement nouvelle, bien plus précieuse que tout l'or du monde : le « roman total ». Qu'est-ce qui *fait* que l'œuvre prend, à ce moment-là, et qu'elle *donne lieu* au génie ? Nul ne le saura jamais. C'est tout le mystère de la création, qui n'a rien de mystérieux *en soi* — paradoxe suprême. Proust continue à « aller dans le monde », mais de moins en moins souvent, tout de même. Il engage une jeune gouvernante, Céleste, qui restera avec lui jusqu'à la fin, vivant à son rythme, deuxième mère, bonne, entièrement dévouée (on recueillera les souvenirs de celle-ci, beaucoup plus tard, dans *Monsieur Proust*, grand livre d'amour). L'amant de Proust à l'époque, Alfred Agostinelli, se tue en avion (1914). Le chagrin est grand, mais l'écriture aidera à l'atténuer (et Alfred deviendra, en partie, Albertine, personnage central de l'œuvre). Le roman gonfle de l'intérieur pendant la guerre, doublant de volume. L'écrivain se tue à la tâche. Son

1. Qui en compte sept : *Du côté de chez Swann* (1913), *À l'ombre des jeunes filles en fleurs* (1919), *Le côté de Guermantes* (1920-1921), *Sodome et Gomorrhe* (1921-1922), *La prisonnière* (posth., 1923), *Albertine disparue* (posth., 1925), *Le temps retrouvé* (posth., 1927).

ouvrage, qu'il comparaît tantôt à une cathédrale, tantôt à une robe de Fortuny, le consume. Il dépérit, ne veut pas se laisser soigner, est convaincu qu'il est le plus fort (même face à la mort). Il s'éteint en laissant la *Recherche*, qui a déjà une fin écrite depuis longtemps, inachevée (passages à remanier, écriture à peaufiner, scènes capitales en suspens). Peu importe : Marcel est devenu Proust. Célèbre à sa mort ? Plus ou moins. Il a obtenu le Goncourt pour *À l'ombre des jeunes filles en fleurs* (deuxième tome de la *Recherche*), en 1919. On sent bien, autour de lui, qu'il a écrit quelque chose de magistral. Mais il ne fut jamais une « vedette ». Cela ne lui importait nullement. « Il n'y a de réel pour un écrivain que ce qui peut refléter individuellement sa pensée, c'est-à-dire ses œuvres. Qu'il soit ambassadeur, prince, célèbre, cela n'est rien. Que sa vanité d'homme le recherche, cela peut être funeste pour l'écrivain, mais peut-être sans cela se laisserait-il anéantir par la paresse ou abrutir par la débauche ou consumer par la maladie. Mais du moins, il devrait savoir que cela n'a pas de réalité littéraire. C'est ce qui me gêne dans Chateaubriand qui a l'air content d'avoir été un grand personnage » (*Nouveaux mélanges*, 1954).

Transformation du roman

Lorsque Marcel Proust se met enfin à écrire *À la recherche du temps perdu*, en 1908-1909, le roman français est en pleine crise. Le réalisme (Balzac, Flaubert) et le naturalisme (Zola) sont morts depuis plusieurs années déjà. On fait alors dans le « roman psychologique » (Bourget), le roman des émotions du moi (le premier Barrès) ou alors carrément dans l'antiroman, pour bien marquer la mort de ce genre désuet (Gide, *Paludes*, 1895, une sotie, et Valéry, *La soirée avec Monsieur Teste*, 1896, un essai-portrait). Rien ne semble annoncer un renouveau du genre.

Proust est d'abord et avant tout un grand lecteur, comme la quasi-totalité des grands auteurs. Il est l'héritier des écrivains mémorialistes, des réalistes et des symbolistes. Il se trouve au confluent des trois tendances, et il va les réunir pour former une œuvre originale. Avec lui, le roman change de direction, repousse les frontières, débouche sur un nouvel univers. L'écrivain reproche au roman réaliste de n'être qu'un « misérable relevé de lignes et de surfaces ». Il ne peut plus être uniquement une sorte de « défilé cinématographique des choses ». Quant au mouvement symboliste, il critique sa « grande indélicatesse », car une « œuvre où il y a des théories est comme un objet sur lequel on laisse la marque du prix » (*Le temps retrouvé*). Il sait fort bien par ailleurs que les autobiographies ne peuvent dire toute la vérité sur la vie de leurs auteurs, et qu'en fait elles masquent souvent, même, l'essentiel de cette vie, qui n'est pas à chercher dans les faits biographiques, mais dans une conscience qui tente de déchiffrer les signes du monde. Proust sent que le roman doit être une interrogation sur l'écrivain et son œuvre.

Ce n'est donc pas l'intrigue qui fera l'originalité de son entreprise. Cette originalité apparaît d'abord dans le fait que Proust « installe massivement, pour la première fois, le roman français dans des domaines qui étaient jusque-là ceux de la poésie et de la religion : la recherche d'une vérité essentielle sur le monde, le passage par une initiation » (Jean Milly). Il sait aussi, à partir de 1909, comment construire son livre, grâce à l'invention d'un narrateur qui dit « je », et qui n'est pas Proust ; un « je » confus (en apparence), qui tente de suivre les arborescences d'une vie psychique gouvernée par l'inconscient, en se fiant davantage aux impressions et aux « imprégnations » qu'à la « réalité ». Un « je » à la recherche d'une vérité, et qui trouve finalement son unité dans l'extase d'une « évaporation du moi », tout entier tourné vers le travail de l'écriture — d'où la fin heureuse, la seule peut-être de toute la littérature de la modernité, comme l'a rappelé Antoine Compagnon. Une construction nouvelle, aussi, grâce à l'utilisation du souvenir involontaire pour disloquer et recomposer le récit, pour lui donner d'abord sa forme, sous l'aspect d'une question que se pose le narrateur-héros, et qu'on pourrait résumer par : suis-je un écrivain ?, puis son sens, sous l'aspect d'une réponse à la toute fin : oui, puisque l'œuvre que vous venez de lire, c'est celle que je viens d'écrire. Une construction nouvelle, enfin, parce que les réminiscences proustiennes ouvrent la voie, dans l'espace narratif, aux questionnements sur la mémoire, l'oubli, l'espace-temps, et à ces constats, repris par les neurosciences aujourd'hui, comme le souligne Jonah Lehrer dans *Proust Was a Neuroscientist* : nos souvenirs ne sont pas « comme de la fiction », ils *sont* fiction ; notre « esprit » est en perpétuelle réincarnation ; la mémoire existe en dehors du temps. Proust au duc de Guiche : « Que j'aimerais vous parler d'Einstein ! On a beau m'écrire que je dérive de lui, ou lui de moi, je ne comprends pas un seul mot de ses théories, ne sachant pas l'algèbre. Et je doute pour sa part qu'il ait lu mes romans. Nous avons paraît-il une manière analogue de déformer le Temps » (lettre au duc de Guiche, 9 décembre 1921).

Ah, oui, fait digne de mention, aussi : ses personnages sont parmi les plus vivants que la littérature puisse compter : Mme Verdurin, Charlus, Swann, Odette, Saint-Loup, Gilberte, Albertine, les Guermantes, le narrateur (évidemment)... Une fois « lus », ils demeurent en nous à jamais. On compte cela pour peu de choses, chez beaucoup de spécialistes de la littérature, le personnage. Mais c'est peut-être l'essentiel.

Et puis ceci : la *Recherche* est pleine de fulgurances poétiques et de scènes extrêmement drôles. Elle enferme aussi des maximes dignes des plus grands moralistes : « Nos désirs vont s'interférant et, dans la confusion de l'existence, il est rare qu'un bonheur vienne justement se poser sur le désir qui l'avait réclamé » (*À l'ombre des jeunes filles en fleurs*) ; « Il y a une chose plus difficile encore que de s'astreindre à un régime, c'est de ne pas l'imposer aux autres » (*Sodome et Gomorrhe*) ; « Autrefois on rêvait de posséder le cœur de la femme dont on était amoureux ; plus tard, sentir qu'on possède le cœur d'une femme peut suffire à vous en rendre amoureux » (*Du côté de chez Swann*).

Transformation du lecteur

La *Recherche* transforme ceux qui la lisent, en tout cas ceux qui la lisent *vraiment.* N'est-ce pas le but de l'art en général, et de la littérature en particulier ? C'est ce que souhaitait Kafka, du moins : « Un livre doit être la hache qui brise la mer gelée en nous » (lettre à Oskar Pollak, 27 janvier 1904). Comme le fait dire Woody Allen à Gertrude Stein dans *Midnight in Paris* : « Nous avons tous peur de la mort, et nous questionnons sans cesse notre place dans l'univers. Le travail de l'artiste n'est pas de succomber au désespoir, mais de trouver un antidote au vide de l'existence. » Si les philosophes arrivent à nous parler des faits (absurdes) entourant notre mortalité, les écrivains sont les seuls à pouvoir nous *faire ressentir*, grâce à la fiction, ces moments qui nous font douter de tout, y compris du sens que nous donnons à notre propre vie, et ces moments qui nous font aimer la vie — *des* vies. « Par l'art seulement, nous pouvons sortir de nous, savoir ce que voit un autre de cet univers qui n'est pas le même que le nôtre et dont les paysages nous seraient restés aussi inconnus que ceux qu'il peut y avoir dans la lune. Grâce à l'art, au lieu de voir un seul monde, le nôtre, nous le voyons se multiplier, et autant qu'il y a d'artistes originaux, autant nous avons de mondes à notre disposition, plus différents les uns des autres que ceux qui roulent dans l'infini, et qui bien des siècles après qu'est éteint le foyer dont ils émanaient, qu'il s'appelât Rembrandt ou Vermeer, nous envoient leur rayon spécial » (*Le temps retrouvé*). S'il est vrai, comme l'a si bien dit Saul Bellow, que le langage est « notre maison spirituelle, dont personne ne peut nous évincer », alors prenons bien soin de cette maison. On ne peut la détruire, mais elle est trop « tenue pour acquise ». Ou, pis encore, comme c'est un peu le cas ici au Québec, négligée. La littérature est un bon moyen de la garder vivante. *À la recherche du temps perdu* nous fait comprendre, peut-être mieux que n'importe quelle autre œuvre, qu'un lecteur est avant tout lecteur de soi-même. En ce sens, ne pas lire, c'est le plus sûr moyen de se perdre. En ce sens également, ne pas bien posséder sa langue, c'est le plus sûr moyen de ne trouver aucune demeure spirituelle.

Martin Robitaille est professeur de lettres à l'université du Québec à Rimouski. Spécialiste du roman français des dix-neuvième et vingtième siècles et de Marcel Proust (Proust épistolier, *Presses de l'université de Montréal, 2003), il est également romancier (* Les déliaisons, *Québec Amérique, 2008).*

La Renaissance

Mawy Bouchard

Le terme « Renaissance », pour désigner une époque historique, est en soi polémique, flou et anachronique. Polémique, d'abord, parce qu'il implique plusieurs axiologies en rapport conflictuel et confère implicitement une valeur culturelle supérieure à cette période qui fait « renaître » alors que l'autre, la précédente, ne serait parvenue qu'à faire mourir. Le mot confine la période précédente étalée sur plus de mille ans à une parenthèse entre la grande civilisation gréco-romaine et la période qui la redécouvre enfin. Cette opposition éminemment idéologique donne lieu à des distinguos à l'avenant (ouverture/fermeture ; liberté/contrainte ; lumière/noirceur), qui ne correspondent que rarement et qu'imparfaitement aux faits de culture des deux époques. Le terme est aussi forcément anachronique dans la mesure où le découpage historiographique se fait selon une téléologie dans laquelle les acteurs de l'époque ne se sont pas délibérément inscrits.

À défaut d'un autre terme pourtant, les historiens qualifient de « Renaissance » une vaste période temporelle couvrant plusieurs territoires géopolitiques, de la fin du *trecento* italien à l'orée du dix-septième siècle élisabéthain. Cependant dès lors qu'on utilise le terme sans épithète nationale, on renvoie à un ensemble de causes et de conséquences que l'on associe aux entreprises culturelles de l'époque : le déclin de la scolastique et de ses structures argumentatives, la redécouverte des monuments intellectuels de la culture païenne favorisée par le déplacement massif vers l'Europe des érudits chrétiens de Byzance, le déclin de l'institution universitaire et l'avènement simultané d'une culture de cour.

Ainsi, sous peine d'être ignorant, il faut savoir que François Pétrarque (1304-1374), à l'avant-garde d'un mouvement qui prend son envol à la fin du siècle et dont il est à plusieurs égards l'inspirateur, a voulu restaurer l'héritage culturel antique, grec et latin, et en faire profiter l'époque chrétienne moderne. Sa quête du beau et du bon le mène à replacer l'humanité dans l'histoire, dans l'ici et maintenant, et à exposer avec justesse l'individualité des auteurs qu'il redécouvre avec des *umanisti* de plus en plus nombreux. Ses découvertes de manuscrits enfouis dans les bibliothèques de monastères, ses travaux d'édition, ses commentaires éclairants, ses adaptations réussies de grands genres littéraires de l'Antiquité, ont fondé ce qu'on appelle par la suite l'« humanisme », que l'on peut définir par un ensemble de principes et de pratiques liés aux arts du langage. Les projets littéraires qui se réalisent pendant la période de la Renaissance transforment le paysage géopolitique et religieux européen, et c'est d'abord par cette transformation profonde de la société, par les lettres vectrices d'une subjectivité qui se renouvelle au contact de l'autre, que la Renaissance doit se faire connaître aujourd'hui. Une perspective sur la civilisation de la Renaissance redonne sa fraîcheur à l'idée réjouissante, alors nouvelle et maintenant rebattue, de la perfectibilité humaine.

Mais de quelle ignorance faut-il avoir honte? Pétrarque, d'abord connu pour ses sonnets amoureux dédiés à Laura et rassemblés sous le titre de *Canzoniere*, en qui Rabelais et Montaigne verront un modèle à suivre, répond amplement à cette question dans un de ses traités intitulé *De mon ignorance et de celle de tant d'autres*, composé dans les dernières années de sa vie (1367-1368). C'est par ce texte, plus que par d'autres encore, que l'histoire de l'humanisme peut devenir l'histoire de la « culture générale », que l'on comprend pourquoi et comment la philologie et le souci de l'élégance linguistique ont partie liée avec les fondements de la civilisation humaine[1].

S'agit-il de décrier — ici ou ailleurs — la méconnaissance de tel texte, de telle idée ou de tel fait de culture? S'agit-il de

1. À ce propos, voir l'excellent essai de Francisco Rico, *Le rêve de l'humanisme*, Paris, Les Belles Lettres, 2002, p. 13.

promouvoir, à travers une critique de l'ignorance, la transmission de l'héritage classique? L'ignorance dont il est question dans le texte phare de Pétrarque, c'est plutôt cet aveuglement des païens qui pousse à l'idolâtrie, à l'amour excessif de soi, une attitude férocement combattue par les pères de l'Église et dont la seule issue se trouve, pour les chrétiens, dans la transcendance, dans le plus grand que soi. Pour Pétrarque et les humanistes, la théologie de la Sorbonne, devenue aristotélicienne, procède scandaleusement d'un refus de la révélation chrétienne et d'un mépris de « tout ce qui nous vient d'en haut[2] ». Du point de vue des successeurs européens de Pétrarque, d'Érasme à Rabelais, cette ignorance — ou ce mépris de la vérité — est répréhensible parce qu'elle constitue une régression avisée, une négation de ce qui constitue le cœur de la culture moderne. Le combat des humanistes s'engage donc d'emblée et durablement contre la méthode et la « doctrine » enseignée par la Sorbonne, institution qui se verra décrite en des termes satiriques par Érasme, en 1509, dans son célèbre *Éloge de la folie*, puis par Rabelais, en 1532 et 1535, dans ses chroniques parodiques relatant les hauts faits de Pantagruel et de Gargantua. La réforme de l'Église catholique, qui mènera Luther à fonder l'Église protestante dans les années 1520, prend sa source dans cette première bataille.

La sagesse chrétienne et socratique d'humanistes tels qu'Érasme et Montaigne envisage avec quiétude l'accusation d'ignorance qui pèse sur l'être humain, et Pétrarque n'hésite pas, à travers sa conversation littéraire, à donner le spectacle d'un homme partiellement aveugle. Comme le souligne Agamben, « [l]a découverte humaniste de l'homme est la découverte de son manque à soi-même, de son irrémédiable absence de *dignitas*[3] ». Avec l'humanisme vient donc aussi cette conscience sereine de la ressemblance humaine avec l'animal, alors que la scolastique chrétienne fait de l'humain une nature presque divine, capable de s'approcher au plus près des sommets de l'intelligence grâce à sa logique. Cette idée d'absence de rang

2. François Pétrarque, *Mon ignorance et celle de tant d'autres*, Grenoble, Jérôme Millon, 2002, IV, 11, p. 103.

3. Voir Giorgio Agamben, *L'ouvert. De l'homme et de l'animal*, Paris, Rivages poche, 2002, p. 52-53.

dans l'échelle des êtres, propre à l'homme, est très présente dans les œuvres de la Renaissance et vient justifier tout un programme de formation visant à développer le potentiel humain. Dans un des textes les plus célèbres de l'historiographie de la Renaissance, l'*Oratio de hominis dignitate* (1486), de Pic de la Mirandole, c'est l'idée de la perfectibilité humaine, en relation étroite avec l'absence de dignité, qui est mise en avant : « Il [le Père suprême] prit donc l'homme, œuvre sans traits distincts, et l'ayant mis au milieu du monde, il lui dit : “Je t'ai placé au centre du monde pour que, de là, tu sois mieux à même d'embrasser du regard tout ce qui est dans le monde. Nous ne t'avons fait céleste ni terrestre, immortel ni mortel, pour que, tel un statuaire qui reçoit la charge et l'honneur de sculpter ta propre personne, tu te donnes, toi-même, la forme que tu auras préférée. Tu pourras dégénérer en un de ces êtres inférieurs que sont les bêtes ; tu pourras, selon les vœux de ton cœur, être régénéré en un de ces êtres supérieurs que l'on qualifie de divins[4].” »

Le constat pétrarquien — et humaniste — sur l'ignorance se fonde sur une opposition essentielle et révélatrice entre l'humain et le divin. Pour Pétrarque, la vraie et terrible ignorance, celle qui tue et avilit, c'est celle qui affecte la jeunesse de son époque, l'ignorance de la finitude humaine dans son opposition à l'éternité et l'universalité divines. Son traité vise à mettre habilement en scène les deux types d'ignorance : la sienne — et, en amont, celle de Socrate —, indissociable de sa nature mortelle d'homme et donc acceptable, et celle des « autres », ces jeunes amis arrogants, formés par la scolastique moderne, qui, persuadés de s'élever au-dessus de la mêlée, voient en Pétrarque, leur aîné décoré de la couronne de laurier dès 1341 pour ses exploits de poète, reconnu à travers l'Europe pour la force de sa pensée et de son écriture, un homme ignare. Le célèbre humaniste assiste sans plaisir aux premières conséquences de cette redécouverte des Anciens, qui fait perdre de

4. Pic de la Mirandole, *Discours de la dignité de l'homme*, dans Louis Valcke et Roland Galibois, *Le périple intellectuel de Jean Pic de la Mirandole*, Sainte-Foy, Presses de l'université Laval, 1994, p. 187-188. Ce texte a été réédité depuis aux Belles Lettres, dans la collection « Miroir des humanistes » (2005).

vue à certains le véritable objectif des études, martelé par tous les humanistes, celui de devenir meilleur chrétien.

Dans cette opposition s'inscrit aussi une divergence de vue sur la méthode et les connaissances nécessaires à l'être humain. Les humanistes prônent l'enseignement de la philologie, le développement rigoureux du langage — oral et écrit — en ce qu'il est l'atout essentiel de l'humanité. Les fameuses *studia humanitatis* — grammaire, poésie, rhétorique, histoire, philosophie morale —, ce sont donc les disciplines qui permettent en premier lieu de développer cette aptitude à communiquer efficacement, à comprendre ce qui est dit par l'homme à travers le temps et l'espace, puis à s'exprimer d'une manière à contrôler parfaitement les effets sur l'autre.

L'intense activité philologique de la Renaissance est intrinsèquement liée au développement technologique de l'imprimerie que Gutenberg a rendu indispensable à partir de 1450. Cette invention fameuse et célébrée par tous les humanistes provoque des changements importants au sein des institutions du savoir. Le livre imprimé parvient en effet à faire tomber les murs de l'université et des lieux du savoir institutionnalisés et rend possible la consultation *ex situ*, en dehors du lieu qui donnait auparavant son identité à un public réuni par son désir de promotion sociale ou par son besoin d'émoluments. Le passage d'une culture du manuscrit à une culture du livre imprimé n'entraîne pas que des changements d'ordre esthétique mais affecte aussi l'espace de consultation et de réception, qui modifie profondément l'ensemble de la dynamique culturelle. Dorénavant, on pourra connaître des choses sans passer par l'université, sans même avoir l'avis des spécialistes.

Et si la crainte était plutôt d'être trop savant et sérieux ? Même s'il est rare qu'on aborde la question en ces termes à la Renaissance, il reste que la quantité de connaissances et l'attitude à adopter envers ce savoir constituent une préoccupation pour plusieurs auteurs de la période, notamment pour Rabelais et Montaigne, qui proposent tous deux une forme de programme d'études adapté à la noblesse, qui s'oppose nettement au cursus des clercs. Au regard de la société de cour dans laquelle ils évoluent, les écrivains de la Renaissance doivent en effet réévaluer les enjeux de la culture en fonction de principes qui sont étrangers au milieu clérical : ne visant pas l'obtention de charges et de gages, les nobles auxquels s'adressent de plus en plus les humanistes sont rebutés par le pédantisme et la suffisance des représentants officiels du savoir. Le plus haut représentant du royaume, le roi, un « laïc » (non instruit), exige en effet une certaine déférence à l'endroit de sa propre inculture, d'ailleurs propre à l'ensemble de la caste nobiliaire et militaire, élite de la société. Au terme du seizième siècle, en France, Montaigne est parvenu à nommer, avec ses *Essais*, le véritable profit des études et des lectures : le « jugement », ce qui nous reste quand on a tout oublié.

Mawy Bouchard enseigne la littérature de la Renaissance au département de français de l'université d'Ottawa. Elle a publié une étude intitulée Avant le roman. L'allégorie et l'émergence de la narration française au XVIe siècle *(Rodopi, 2006).*

La révolution

Stéphane Vibert

> *Les grandes révolutions qui réussissent, faisant disparaître les causes qui les avaient produites, deviennent ainsi incompréhensibles par leur succès même.*
>
> Alexis de Tocqueville,
> *L'Ancien Régime et la Révolution*

Mot chargé d'espoir, sécrétant souvent les rêves les plus insensés d'harmonie et de félicité, la « révolution » se comprend avant tout comme l'expression d'une rupture, d'une frontière, appelée à dissocier frontalement l'avant de l'après, le mal du bien ou l'injuste du juste. Si elle est une réalité sociopolitique, la révolution reste avant tout un *idéal*, un imaginaire lié à cette *condition de l'homme moderne*, décrite par Arendt, orientée vers l'avenir à construire. Invalidant toute inscription dans un monde *déjà là*, structuré par la religion, la tradition et l'autorité, la révolution indique un nouveau régime d'historicité, autrement dit la volonté collective de se produire soi-même dans le temps, librement et intentionnellement, *pour le mieux*. De ce fait, la révolution au sens fort, comme bouleversement total et délibéré des institutions politiques, sociales, économiques et culturelles d'une communauté, ne peut apparaître que *moderne*, liée à la définition d'un monde humain considéré comme seul détenteur ultime de ses motifs et de ses finalités. Auparavant, certes, il pouvait bien y avoir — de la part des esclaves, des paysans, des plébéiens ou même de peuples entiers — des révoltes, des insurrections, des séditions, des émeutes ou des rébellions ; mais il s'agissait avant tout de *restaurer* un ordre juste, en correspondance légitime avec un au-delà divin ou naturel garant des affaires de l'ici-bas. Avec la modernité, la révolution ouvre sur l'infini, à la fois potentiel illimité de changement et incertitude radicale quant à ses conséquences finales.

Le mot et l'idée

Si la signification originelle du terme « révolution » fait référence au retour à un point d'origine, conformément au mouvement régulier, répétitif et cyclique des astres célestes, la révolution moderne, inaugurée à la fin du dix-huitième siècle par les révolutions atlantiques (américaine et française), se veut au contraire l'avènement d'un « nouveau monde ». C'est pour cette raison que tout jugement sur la révolution, qu'il soit contemporain ou a posteriori, se charge d'une teneur polémique, idéologique, émotionnelle et affective. Dans ses prétentions à « refonder » une société, la révolution ne peut qu'engendrer une profonde polarisation du corps social, dirigée vers un adversaire intérieur (le contre-révolutionnaire) ou extérieur (le colonisateur). Requérant simplification idéologique et pouvoir de contrainte, le mot-concept de « révolution » suppose l'éventualité d'un affrontement maximal et violent, qui sera étendu par les révolutions française et russe à l'échelle du monde. Puissant dans son intensité, englobant dans sa portée et totalisant dans son ambition, le moment révolutionnaire évoque un nouveau départ qui n'exige pas seulement le renversement des élites dirigeantes, mais surtout « la désacralisation simultanée de l'ordre ancien et la consécration de l'ordre nouveau en quête pressante de légitimité[1] », conciliant contexte particulier et affirmation universelle.

Ce basculement de la légitimité nous fait remonter à la source de l'existence collective et de tout système sociopolitique. Dans *On Revolution*, en 1965, Arendt tente d'y déceler la nature même de la modernité et la diversité de ses incarnations historiques et nationales : « les révolutions sont les seuls événements politiques à nous faire affronter directement et inévitablement

1. Hannah Arendt, *Essai sur la révolution*, Paris, Gallimard, 1967, p. 25.

le problème du commencement[2] ». La révolution apparaît ainsi comme un phénomène essentiellement prépolitique, proche de l'état de nature, associé à la « violence du commencement » décrite par les légendes antiques, lesquelles laissaient entendre, abruptement mais non sans pertinence, que « toute organisation politique que les hommes aient réussie tire son origine d'un crime[3] ». C'est bien ce moment d'anarchie et de chaos, cet « entre-deux » transitoire au cours duquel une légitimité s'effondre sans que soit effectivement assurée celle qui la remplacera, qui constitue le signe d'une révolution, mêlant indissolublement idées, principes, valeurs à leur incarnation dans des groupes insurrectionnels en effervescence, plus ou moins importants en nombre, très divers par leur degré de conscience, d'unité ou d'organisation. Cette « révolution-événement », significative sur le plan sociopolitique, doit être distinguée de la « révolution-processus », davantage culturelle, morale ou socioéconomique, née de l'extrapolation du terme à la fois aux analyses de longue durée — les causes historiques en amont qui finissent par déboucher sur le moment fatidique de la déflagration (voir *L'Ancien Régime et la Révolution* de Tocqueville) — et aux domaines les plus variés de l'agir et de la pensée (révolutions industrielle, scientifique, économique, sexuelle, culturelle, etc.).

Brève histoire des révolutions

Durant longtemps, tout au long de la chrétienté, la *revolutio* religieuse s'apparente à d'autres visions prémodernes du changement, tournées vers le passé, comme âge d'or à retrouver par des réformes purificatrices. Paradoxalement, le terme de « révolution » ne prend une connotation politique qu'avec la Glorieuse Révolution anglaise de 1688, la première à être désignée explicitement comme telle, mais encore comprise par les contemporains comme retour à « l'ancienne constitution » du Royaume, violée par les velléités absolutistes du roi Jacques. Par cette médiation théologico-politique, le terme « révolution » en vient à décrire dès le début du dix-huitième siècle tout changement

2. *Ibid.*, p. 23.
3. *Ibid.*, p. 390.

soudain dans le gouvernement des hommes, ou domaine politique. Les révolutions atlantiques consacrent l'avènement de la modernité politique, transition consciente d'un ordre ancien à un ordre nouveau dans l'histoire, effectuée selon les desseins de la volonté humaine. Avec la Révolution française, « l'aspect créateur-destructeur de la révolution et son caractère téléologique, tout comme la violence » deviennent « les composantes indispensables du moment inaugural de la modernité[4] ». Sous bien des aspects, la Révolution française présente les rudiments d'un « modèle » de processus révolutionnaire-type, avec les moments successifs d'assemblée constituante, de dictature (Montagne), de Terreur à son apogée, puis la préservation des acquis sous Thermidor, et enfin le bonapartisme qui entérine le nouveau régime de façon autoritaire.

Au dix-neuvième siècle, la révolution devient définitivement un phénomène politique, marquant la volonté de renversement des monarchies absolues de droit divin au nom de la liberté, des droits individuels, du règne de la loi et du gouvernement représentatif. Le terme fait signe également vers les conflits socioéconomiques, sous la forme des théories socialistes et égalitaires, tout en gardant un sens négatif chez les penseurs réactionnaires, qui y voient une ambition démesurée de *tabula rasa* rationaliste. Le cas français engendre une « proto-science de la révolution en tant que telle[5] », avec un effet rétroactif sur les révolutions anglaise et américaine, désormais lues dans une perspective ultra-démocratique, malgré leur origine plutôt « restauratrice ». En Allemagne, la Révolution française se voit pensée comme un moment historique à portée universelle, pas décisif vers le progrès moral malgré ses excès pour Kant, identifiée à la liberté inscrite dans l'Histoire par un État transformé selon les principes du droit pour Hegel. Ce dernier inspire le marxisme, qui conservera la dimension eschatologique d'une fin révolutionnaire de l'histoire. Entre 1830 et 1848, moment de surgissement du socialisme européen, Marx emprunte à Guizot le principe révolutionnaire de la « lutte des classes comme forces motrices de l'histoire », et l'oriente vers

4. Marcel Gauchet, *La démocratie contre elle-même*, Paris, Gallimard, 2002, p. 319.

5. *Ibid.*, p. 390.

l'avènement final du communisme, moment d'affranchissement définitif de l'humanité.

C'est bien sûr la Révolution russe qui incarne la consécration de la science prédictive du marxisme, en se fixant pour objectif la « construction du socialisme » par dépassement de la démocratie bourgeoise. Elle se présente à la fois comme un héritage et un rejet de 1776 et 1789, libérations certes nécessaires par rapport à l'Ancien Régime, mais partielles sur la voie de l'émancipation réelle. À partir de 1917, le terme de « révolution » prend une tonalité tout autant politique que sociale (une majorité des révolutions au vingtième siècle seront communistes), entrant en résonance avec les révolutions « nationales », d'indépendance ou de décolonisation, qui prolongent le principe affirmé au dix-neuvième siècle du « droit des peuples à disposer d'eux-mêmes ». Cependant, le concept se généralise en même temps qu'il se voit remis en question, selon deux directions. D'une part, il s'applique désormais à des institutions et des pouvoirs en place (le « régime révolutionnaire » soviétique), contredisant par là sa signification initiale, vouée au changement et à la transformation. D'autre part, s'accentue le caractère « formel » du concept, définissant tout bouleversement sociopolitique quel qu'en soit le contenu idéologique, d'où les interprétations par exemple du nazisme et des fascismes comme « révolution conservatrice », de la prise du pouvoir des ayatollahs en Iran comme « révolution islamique », du rejet pacifique du socialisme réel en Tchécoslovaquie comme « révolution de velours », ou encore, plus près de nous, de la décennie de réforme sociale connue par le Québec des années 1960 comme « révolution tranquille ». Cette polysémie finit donc inévitablement par appauvrir la consistance du concept, tout en lui conservant une charge valorisante, idéale et émotive incontestable.

Et aujourd'hui ?

La révolution garde ainsi dans nos sociétés contemporaines une certaine aura, comme le montre l'exemple de la réception en Occident du « printemps arabe » de 2011, et des multiples soulèvements populaires ayant conduit au renversement des régimes dictatoriaux en place. La réussite d'une révolution semble tenir autant de l'engagement des masses que de la faiblesse des structures étatiques, associée à la défection des élites dirigeantes et à la présence d'organisations capables de « canaliser » la révolte. Il faut également signaler l'importance des divisions internes (religieuses, claniques, régionales) susceptibles d'accélérer la chute des pouvoirs établis. Il n'est par contre pas prouvé qu'une société libérale puisse connaître une révolution au sens fort, bien que celle-ci demeure un imaginaire moderne incompressible, notamment au titre d'événement fondateur. Les événements de mai 68, mais surtout leur échec politique, ont ainsi surtout montré la capacité des institutions démocratiques à intégrer les contestations les plus radicales, leur accordant un statut de minorité agissante aux marges du système. L'une des raisons essentielles de cet évanouissement de la plausibilité révolutionnaire relève sans doute, paradoxalement, de la radicalisation des principes de mouvement, de changement, de mobilité, désormais constitutifs de nos « sociétés de l'histoire », sous les traits du capitalisme marchand et financier, dont la logique de flux tendu vise à déstabiliser toute structure un tant soit peu institutionnelle et normative, qu'elle soit de type politique, social ou culturel. L'hégémonie d'une sphère économique comme régime des besoins d'un individu universel, rationnel et moral — véritable *révolution*-processus permanente —, en même temps qu'elle ruine la médiation politique, défait toute possibilité d'une *révolution*-événement : « C'est ici que s'effondre l'idée de révolution, décrédibilisée, vidée de sens par la puissance de changement du monde qu'il s'agissait de renverser[6]. »

Stéphane Vibert est professeur au département de sociologie et d'anthropologie de l'université d'Ottawa et membre du groupe d'études sur la modernité anthropologique et politique (GEMAP).

6. *Ibid.*, p. 319.

La seconde guerre mondiale

Youri Cormier

La seconde guerre mondiale est-elle histoire ou actualité? Son legs institutionnel et idéologique persiste encore aujourd'hui. C'est à se demander si cet héritage n'y est pas *pour de bon*! Les plus grands bouleversements des dernières décennies n'y ont introduit aucune faille : la guerre de Corée, la guerre du Vietnam, la décolonisation, la chute de l'URSS, le 11 septembre, etc. Et même si le nombre d'États a quadruplé depuis que les vainqueurs de 1945 instaurèrent ces systèmes diplomatiques, juridiques, commerciaux et financiers internationaux, la quasi-totalité des États du monde y adhèrent encore aujourd'hui et aucun ne semble souhaiter leur démantèlement soudain.

Parler de la « permanence » du système international après seulement soixante-sept ans serait prématuré, mais deux facteurs laissent croire qu'un revirement dramatique demeure fort improbable. Premièrement, personne ne voudrait répéter l'expérience meurtrière d'une grande guerre, afin de fonder un nouvel ordre mondial nouveau et inédit, surtout depuis l'arrivée de la bombe atomique. Deuxièmement, à l'ère de la *pax atomica*, la guerre limitée existe encore en périphérie, soutenue parfois par les grandes puissances qui s'affrontent par procuration, indirectement, mais la guerre illimitée au centre du pouvoir disparaît. Le risque serait trop grand, comme Albert Einstein l'avait si bien exprimé, en déclarant : « Je ne sais pas avec quelles armes sera menée la troisième guerre mondiale, mais je sais que la quatrième le sera avec des bâtons et des pierres[1]. »

1. Alice Calaprice, *The New Quotable Einstein*, Princeton (N.-J.), Princeton University Press, 2005, p. 173.

La guerre demeure rationnelle tant qu'elle est stratégique, mais voilà justement la leçon ultime de la guerre de 1939-1945 : avant même l'arrivée de la bombe atomique, la technologie moderne avait rendu une guerre mondiale injustifiable, moralement, économiquement et politiquement… et ce, même pour le gagnant ! L'Europe entière et le Japon furent réduits en cendres. Entre cinquante et soixante-dix millions d'êtres humains perdirent la vie en l'espace de six ans, soit de 2 à 3% de la population mondiale de l'époque. Cette célèbre phrase apparue après la guerre de 1914-1918 : « Plus jamais la guerre », qui se voulait un gage d'espoir et d'optimisme, se transforma avec l'arrivée de la bombe nucléaire en ultimatum : renouer avec la guerre illimitée entre les grandes puissances *mettrait en péril toute vie sur terre.*

Afin de ne pas laisser durer des situations conflictuelles qui pourraient mener à une troisième guerre mondiale, le système international avait été conçu sur mesure à la suite de la seconde pour réduire les causes principales des grandes guerres mondiales. Plus précisément, l'effet recherché était d'atténuer les facteurs qui poussaient les États à risquer de tout détruire dans l'espoir de mieux reconstruire.

Aperçu des causes de la seconde guerre mondiale

Avant 1939, la situation en Europe était déjà envenimée. Le traité de Versailles qu'on avait imposé à l'Allemagne à la fin de la première guerre mondiale avait d'ailleurs été décrit avec justesse par le maréchal Foch, chef des forces alliées durant la Grande Guerre, non pas comme une véritable paix, mais plutôt comme un piètre « cessez-le-feu pour vingt ans[2] ». Dans une Allemagne écrasée par la crise économique des années 1930 et par les paiements de réparation exigés par ce traité, Hitler fonda sa popularité sur un esprit de vengeance nationaliste et remit en branle l'économie et l'emploi en investissant à fond dans le réarmement accéléré.

L'expansionnisme des pays de l'Axe (Allemagne, Japon, Italie) s'explique en partie du fait qu'ils n'aient pas joui, au

2. Winston Churchill, *Memoirs of the Second World War*, Boston, Houghton Mifflin, 1959. p. 5.

même titre que l'Angleterre ou la France, des avantages économiques de la colonisation, et aucune de ces trois nations ne possédait un immense territoire à exploiter comme la Russie ou les États-Unis. Leurs économies manquaient de matières premières et de marchés. Ainsi, Mussolini rêvait d'une puissance méditerranéenne pour Rome, et commençant avec l'invasion de l'Abyssinie (en 1935), il se tourna ensuite vers l'Albanie et l'Afrique du Nord. Hitler, de son côté, visait un « espace vital » (*Lebensraum*) en Europe pour les peuples germaniques. Ayant d'abord remilitarisé la zone neutre du Rhin, il annexa ensuite l'Autriche et la Tchécoslovaquie, et enfin se heurta, à l'automne 1939, à une déclaration de guerre de la part de l'Angleterre et de la France, après qu'il eut signé un pacte odieux avec Staline pour se partager la Pologne. Un peu plus tard, l'empereur Hirohito envahit les îles du Pacifique après avoir vassalisé la Mandchourie (dès 1931) et attaqué la Chine (1937). En bombardant la base militaire américaine de Pearl Harbor, espérant ainsi protéger ses acquis, le Japon fit en sorte que l'ensemble des guerres en Europe et en Asie s'unifièrent en un seul conflit mondial, car les États-Unis se jetèrent dans la mêlée rapidement et sur tous les fronts.

La guerre fut aussi idéologique. Au libéralisme et au communisme, dont le fondement théorique était la destruction du premier, se rajouta un troisième joueur, le fascisme : une dictature nationaliste conçue avant tout pour écraser la violence révolutionnaire du communisme, et encadrer le capital privé afin que celui-ci soit mis entièrement au service de l'État. Réprimant ainsi les instances démocratiques et l'économie libre, le fascisme, mais surtout le nazisme, qui en était son incarnation la plus virulente et la plus totalitaire, détruisit l'ensemble des acquis constitutionnels du libéralisme. Il représentait donc une menace tant pour les communistes que pour les libéraux. D'ailleurs, il n'a fallu à Hitler que deux ans pour rompre son pacte avec Staline et entreprendre l'invasion de l'URSS avec une armée de près de quatre millions d'hommes. Le monde se retrouva donc avec une alliance improbable entre l'URSS, une Chine en transition vers le maoïsme, et les pays traditionnellement libéraux (États-Unis, France, Grande-Bretagne, Canada, etc.), unis, malgré leurs propres tensions idéologiques, contre le fascisme expansionniste.

Technologie et catastrophe humanitaire

Au-delà des causes politico-économiques, l'essor technologique explique en partie le bellicisme des instigateurs du conflit : avec une puissance militaire relative si disproportionnée, ils se sentaient invincibles face à des nations retardataires sur le plan de la technologie. Le meilleur exemple en fut fourni quand les Allemands débarquèrent en Pologne avec l'aviation de la *Luftwaffe* et neuf divisions de panzer — des chars d'assaut sophistiqués —, alors que 10% de l'armée polonaise se battait encore à cheval. Victime du blitzkrieg nazi, la « guerre éclair », la Pologne tomba à une vitesse sans précédent.

C'est la suite des évènements qui amplifia les dégâts, lorsque la guerre illimitée fut déclarée entre les nations industrialisées, une situation analogue à un heurt entre deux lutteurs bourrés de stéroïdes. Selon le théoricien de la guerre Carl von Clausewitz, il existe une réciprocité mutuelle entre les pays en guerre où chaque coup en provoque un plus grand, jusqu'à ce qu'émerge un vainqueur, ce qui mène à une montée aux extrêmes[3]. L'industrialisation et la technologie permirent à cette logique interne de la guerre d'exploser comme jamais auparavant, poussant la bagarre à l'extérieur du ring : en 1939-1945, même les spectateurs, les civils, n'ont pas été épargnés.

Les chars d'assaut et l'aviation, qui n'avaient joué qu'un petit rôle en 1914-1918, déferlèrent sur l'Europe en 1939-1945, rendant ainsi possibles des attaques contre le nerf de la guerre : la capacité industrielle des nations, les lignes de ravitaillement et la population. Le siège de Leningrad par les nazis tua à lui seul de 1,1 à 1,3 million de civils russes. En fait, les centres urbains devinrent des cibles de prédilection pour les « bombardements stratégiques », qui auraient tué au moins deux millions de civils dans les deux camps. Quoique cette stratégie aérienne visant les civils ait d'abord été mise en place par les Allemands à Guernica (dans le contexte de la guerre civile espagnole), Varsovie, Rotterdam, et également Londres en 1940, ce sont les Alliés qui poussèrent la stratégie à son extrême, rasant de

3. Carl von Clausewitz, *On War*, Princeton (N.-J.), Princeton University Press, 1976, p. 75-77.

nombreuses villes ennemies dont Berlin, Dresde, Hambourg, Tokyo, Yokohama, Hiroshima, Nagasaki, etc.

Une importante part des victimes civiles est attribuable à la doctrine raciste et barbare au cœur du nazisme. Les conditions de vie dans les ghettos, les camps de concentration, et évidemment les massacres et les camps d'extermination causèrent dans l'ensemble la mort de cinq à six millions de Juifs et de deux cent cinquante mille à un million de Tsiganes. C'est justement en réaction à ces incroyables abus que les termes « génocide » et « crimes contre l'humanité » sont apparus tout de suite après la guerre afin d'établir une base conceptuelle pour la condamnation des horreurs qui venaient d'être commises. Nos lois criminelles internationales contemporaines en sont le fruit, quoique les sièges et les bombardements demeurent encore juridiquement dans une zone grise.

Constituer le monde

À la conférence de Téhéran, en 1943, alors que Churchill prônait la mise à mort des hauts fonctionnaires nazis après la guerre, sans procès, et que Staline alla même jusqu'à proposer l'exécution sommaire de cinquante mille à cent mille soldats ennemis, Roosevelt insista pour qu'on respecte au moins les principes judiciaires rudimentaires du *Bill of Rights* américain. Naquirent donc les procès de Nuremberg et Tokyo, durant lesquels les criminels avaient l'occasion de se défendre en personne et avec un avocat. De plus, afin de montrer qu'il ne s'agissait pas uniquement d'une « justice des vainqueurs », si l'accusé prouvait qu'un crime analogue à celui dont il était accusé avait aussi été commis du côté des Alliés, on l'acquittait. La jurisprudence établie lors de ces tribunaux sert encore aujourd'hui à la Cour pénale internationale, qui obtint en 2002 le mandat d'instruire ces procès pour crimes de guerre, crimes contre l'humanité, et génocide.

En ce qui concerne l'économie, une conférence tenue à Bretton Woods au New Hampshire en 1944, en présence des Britanniques, des Américains et des Russes, nous légua un puissant trio institutionnel.

D'abord, le libre échange mondial sous la gouvernance de l'Accord général sur les tarifs douaniers et le commerce (GATT, 1947, devenue l'Organisation mondiale du commerce en 1995) remplacerait le colonialisme traditionnel, partant de l'idée que l'exclusivité commerciale des puissances créait un incitatif à faire la guerre car on bloquait l'accès commercial aux ressources premières et aux marchés. Le Fonds monétaire international, prêteur de dernier recours, stabiliserait les États en situations fiscales critiques pour éviter l'insolvabilité des États et les dévaluations monétaires hors contrôle, leçon apprise de la crise économique et de l'hyperinflation en Allemagne, qui contribuèrent à la montée d'Hitler. La Banque mondiale s'assurerait enfin de l'essor économique et du développement, d'abord d'une Europe ravagée par la guerre, pour ensuite se tourner vers d'autres parties du monde moins industrialisées, car vaincre la pauvreté devait contribuer à vaincre l'hostilité. La stabilité économique assurée par ces institutions ne s'est pas faite sans produire des inégalités ou des effets pervers. Le système économique trinitaire n'a jamais éradiqué la pauvreté dans les anciennes colonies, mais semble avoir contribué, au contraire, à l'augmentation de l'écart entre les pays riches et les pays pauvres.

L'Organisation des Nations unies (ONU), le nerf central de la diplomatie et l'institution suprême de l'après-guerre, a connu de nombreux succès, notamment dans ses traités sur le droit maritime, la mise en place de forces de maintien de la paix, et l'imposant accomplissement que représente la négociation de 172 traités de paix depuis sa création. Cela dit, combien de défis restent non résolus à cause d'impasses au Conseil de sécurité, que ce soit en Palestine, en Syrie ou ailleurs ? Fondée en 1945 lorsque sa charte fut ratifiée par les cinq membres permanents, ceux-ci n'ont à ce jour jamais accepté de moduler leurs privilèges initiaux. Verrons-nous un jour accéder au droit de veto d'autres nations représentant, par exemple, les intérêts des pays émergents ? L'ONU peine aussi à générer un front commun face aux changements climatiques et à la perte de biodiversité sur terre. Ses imperfections, tout comme celles du trio de Bretton Woods, démontrent que la longévité du système international ne s'explique pas par un quelconque succès global ou absolu, mais plutôt du fait que l'objectif originaire et primordial ait tenu : la troisième guerre mondiale n'a pas eu lieu.

La permanence d'un système institutionnel conçu pour la paix et la stabilité est possible, en effet, mais seulement tant et aussi longtemps qu'il réussit à prévenir les pires guerres. Le problème, c'est que la guerre est un « caméléon[4] » qui se transforme à tout moment et auquel nous devons nous adapter. Le prochain test qui secouera nos institutions ne sera-t-il pas justement le risque posé par la crise écologique, qui, tout comme une troisième guerre mondiale, pourrait mettre en péril toute vie sur terre ?

Déjà une nouvelle course aux allures un peu trop coloniales est en marche pour s'approprier les terres agraires du tiers monde et en exporter les récoltes vers les pays riches[5]. À Madagascar, ce genre de transaction, dans ce cas avec la multinationale coréenne Daewoo, fut si mal perçue qu'elle provoqua un coup d'État en 2009. Et l'étincelle du « printemps arabe » ne fut-elle pas d'abord une série de manifestations après une montée soudaine du prix du pain ? La nourriture et l'eau pourraient devenir la cause principale des violences politiques du futur. Et je l'avoue volontiers... si un jour la sécheresse ou les inondations venaient à faire mourir de faim ma famille, je réciterais *avec conviction* Smith, Marx ou n'importe quelle nouvelle « recette » pouvant charmer celui qui sert la soupe ! Le système politique international a réussi à prévenir les guerres ayant l'objectif vaste de tout détruire pour mieux reconstruire, mais comment réagirait-il si les belligérants n'avaient qu'un but parfaitement simple et existentiel, celui de survivre ?

Youri Cormier est doctorant en études sur la conduite de la guerre au King's College de Londres et ancien professeur de politique internationale et droits de la personne au Centre for Talented Youth de l'université Johns Hopkins à Baltimore.

4. *Ibid.*, p. 89.

5. Voir par exemple le rapport de la Banque mondiale : « Rising global interest in farmland : can it yield sustainable and equitable benefits ? », ainsi que M. Kugelman et S. L. Levenstein, « Land grab ? The race for the world's farmland », Washington (DC), Woodrow Wilson International Center for Scholars, 2010.

Le totalitarisme : fruit pourri de la modernité

François Charbonneau [1]

S'il y avait quelque part des hommes à l'âme noire se livrant perfidement à de noires actions et s'il s'agissait seulement de les distinguer des autres et de les supprimer ! Mais la ligne de partage entre le bien et le mal passe par le cœur de chaque homme et qui ira détruire un morceau de son propre cœur ?

Alexandre Soljenitsyne

Régime politique inconnu avant le vingtième siècle, le totalitarisme nous est sans doute devenu trop familier tant l'horreur qu'il a provoquée est devenue pour nous un référent incontournable. Pour décrire le mal absolu, notre époque ne fait plus référence à la Saint-Barthélemy, aux massacres qui ont suivi la prise de Constantinople, au « despotisme asiatique » et à mille autres horreurs réelles ou imaginées. La célèbre loi de Godwin exprime à merveille cette nouvelle réalité, elle qui stipule que « plus une discussion en ligne dure longtemps, plus la probabilité d'y trouver une comparaison impliquant les nazis ou Adolf Hitler s'approche de 1 ». L'horreur absolue, aujourd'hui, c'est le totalitarisme, nazi ou stalinien. Mais l'horreur du totalitarisme ne se mesure pas seulement au nombre de morts. L'humanité n'a pas eu à attendre Adolf Hitler pour se révéler brutale et cruelle. Ce n'est pas l'horreur, la violence ou la cruauté qui définissent le totalitarisme. C'est, nous le verrons, son *inhumanité*.

1. L'auteur tient à remercier Patrick Moreau et Marie-Andrée Lamontagne pour leur lecture attentive et leurs commentaires judicieux.

Comment expliquer l'émergence de ce nouveau type de régime politique ? Pour le comprendre, il faut voir que ce n'est pas un hasard si le totalitarisme est inconnu avant la modernité. L'humanité a connu l'amorce d'un grand changement à la fin du dix-huitième siècle dans la manière de se comprendre et de se percevoir. Bien que l'idée ait mis des décennies avant de s'imposer, les révolutions du dix-huitième siècle affirmaient l'idée que les êtres humains sont par nature libres et égaux, en un mot, qu'ils sont égaux en dignité. Cette idée n'était pas inédite, tant s'en faut. Pour ne prendre qu'un exemple, l'égalité des hommes devant Dieu est un principe qu'affirment plusieurs traditions religieuses, dont le christianisme, la tradition la plus importante pour notre propos. Mais cette égale dignité des hommes devant Dieu ne se traduisait pas par une égalité politique ou par une égale participation à la chose publique. Le christianisme se conciliait très bien avec l'idée de l'inégalité politique des êtres humains.

Ce que change la modernité, c'est qu'elle affirme comme principe non seulement que tous les êtres humains sont nés libres et égaux, mais *que c'est la tâche du politique d'être le garant de cette égale dignité.* Admirable, mais vaste entreprise. Alors qu'on ne voyait dans les choses humaines que bruit et fureur, le philosophe Hegel salue dans l'affirmation de l'égale liberté humaine l'aboutissement d'un processus donnant *un sens* à l'histoire de l'humanité. Or, entre l'affirmation du principe et sa réalisation, il faut du temps. Thomas Jefferson, qui affirme dans la déclaration d'indépendance américaine qu'il tient « ces vérités comme allant d'elles-mêmes : tous les hommes sont créés égaux », ne possédait-il pas lui-même des centaines d'esclaves ? L'humanité mettra du temps — elle en met toujours — à chercher les voies de la reconnaissance de cette égale dignité.

D'une certaine manière, l'écart entre le principe libéral de l'égale dignité de tous les êtres humains (principe affirmé par deux révolutions au dix-huitième siècle) et la réalité indéniable de l'inégalité concrète des hommes est le point de départ de deux réactions contraires qui traverseront le dix-neuvième siècle. À gauche, on dénoncera l'hypocrisie du caractère formel de l'égalité. Que peut valoir l'égalité devant la loi pour un homme sans le sou ? À quoi sert un régime d'égalité formelle s'il cautionne l'exploitation éhontée du plus pauvre par le plus riche ? À droite, on niera longtemps cette égalité, en montrant qu'elle ne correspond tout simplement pas à la réalité. En observant les hommes, ne voit-on pas des différences naturelles évidentes ? Ne sommes-nous pas tous différents, tant en termes de capacité intellectuelle que physique ? Si à gauche on souhaite très tôt que le politique se fasse le garant de l'égalité effective des hommes (on pense entre autres à la Conjuration des égaux de Babeuf pendant la Révolution française qui demande à l'État d'assurer l'égalité de revenus), à droite on espérera pendant une bonne partie du dix-neuvième siècle un retour à l'ordre jugé naturel des choses : la hiérarchie selon laquelle les meilleurs dirigent les destinées des hommes. Le régime libéral, qui se contente d'affirmer l'égalité formelle de ses citoyens tout en cautionnant le libre marché qui engendre une misère *inédite* (au sens où elle est souvent inversement proportionnelle à la somme de travail fournie par l'ouvrier), prêtera ainsi flanc à la critique tant à gauche qu'à droite pendant tout le dix-neuvième siècle.

Deux choses devront toutefois se produire avant que n'apparaissent les régimes totalitaires au vingtième siècle. D'abord, la découverte de la théorie de l'évolution par Charles Darwin qui explique la diversification progressive des règnes animal et végétal par l'adaptation des êtres vivants à leur environnement, les individus les mieux adaptés survivant et se reproduisant davantage. Transposée dans le monde humain par des émules pressés, la thèse darwinienne ainsi déformée semble remettre en question l'égalité naturelle des hommes. Alors que la Nature avait justifié les Droits de l'homme, c'est au nom de cette même Nature que certains se mettent à affirmer l'inégalité des « races » humaines. Dans un contexte impérialiste particulièrement brutal, pendant que les pays européens se partagent le monde par la colonisation, les théories racistes sont venues en quelque sorte cautionner « scientifiquement » la domination de l'homme blanc sur le monde. Les espaces politiques libéraux européens sont dès lors pervertis dans leur principe même. Alors qu'un État libéral doit garantir l'égalité de tous ses citoyens, l'impérialisme cautionne une inégalité d'autant plus douloureuse pour ses victimes qu'elle est indépassable, parce que justifiée par un recours à la Nature. Comme le veut la formule, avec l'impérialisme, certains citoyens sont maintenant « plus égaux que d'autres ».

Le second événement d'importance qui devra se produire avant que n'émergent les régimes totalitaires est la première guerre mondiale, guerre attribuable entièrement aux velléités impérialistes européennes. Les progrès de la technique, combinés à un volontarisme militaire d'états-majors littéralement dépassés par les potentialités meurtrières des nouvelles armes modernes, ont provoqué une sorte de jeu à somme nulle entre des empires où le simple soldat s'est retrouvé coincé dans l'étau d'une vaste machine à tuer. On mesure mal aujourd'hui le traumatisme que cette guerre a provoqué. De tout temps source de gloire pour les militaires, l'expérience de cette guerre s'est résumée pour le plus grand nombre de soldats à attendre la mort, le ventre vide, dans des trous remplis de cadavres en putréfaction. Le héros, dans cette sale guerre, sera « inconnu ».

La première guerre mondiale aura été un terreau fertile pour l'avènement des régimes totalitaires. Devant tant de violence insensée, les régimes libéraux sont apparus totalement discrédités pour toute une génération de gens qui se sont mis à chercher les causes de leur malheur, et à chercher ailleurs le bonheur de l'humanité. On peut les comprendre.

Sorte de retour du refoulé de la modernité, les régimes totalitaires qui émergent aux extrêmes de l'échiquier politique pendant ou immédiatement après la première guerre mondiale ont cette particularité de rejeter violemment le principe de l'égale dignité des êtres humains en procédant à une catégorisation manichéenne des individus. Le totalitarisme communiste divise l'humanité en classes sociales, alors que le régime totalitaire nazi divise l'humanité en races. Ce ne sont évidemment pas les totalitarismes qui ont inventé ces concepts, mais ces régimes en ont fait des catégories politiques effectives. Depuis déjà des décennies, certains penseurs avaient suggéré, dans une sorte de renversement des thèses d'Hegel sur le sens de l'histoire, que l'on peut comprendre l'histoire de l'humanité comme une lutte entre les classes (Marx) ou alors comme une lutte entre les races (Gobineau). Les régimes totalitaires feront de ces philosophies de l'histoire manichéennes leur vérité première. La violence inouïe de la première guerre mondiale aura été le ferment nécessaire pour rendre crédible auprès de millions de personnes cette idée terrible que l'histoire de l'humanité a un sens dans la lutte d'une partie de l'humanité contre l'autre. Pour les nazis, la défaite de l'Allemagne est bien la preuve que des forces de l'ombre ont conspiré contre les Aryens, c'est-à-dire contre les « vrais » Allemands. On imputera la responsabilité de la défaite au Juif, ennemi dont l'action invisible est d'autant plus pernicieuse qu'elle s'exerce souvent de l'intérieur. Pour les communistes, la première guerre mondiale aura été un vaste carnage de prolétaires et des masses paysannes, au profit des bourgeoisies nationales. Les solidarités qu'appellent les idéologies communiste et nazie ne seront plus nationales.

Les régimes totalitaires ont cette particularité de s'articuler autour d'une « idéologie », qu'Hannah Arendt, dans son magistral *Les origines du totalitarisme*, définit tout simplement comme « la logique d'une idée ». On l'a vu, pour les nazis, cette idée toute simple est que l'histoire de l'humanité est une lutte entre les races, et à la fin de cette lutte triomphera la race aryenne, race prétendument supérieure. Pour les communistes, le prolétariat a comme tâche historique de triompher des autres classes de manière à mettre fin à la division de l'humanité en classes, et donc de mettre fin à l'exploitation de l'homme par l'homme. Bien que les intentions des communistes soient nobles, alors que celles des nazis sont clairement haineuses, le fonctionnement réel de ces deux régimes sera étonnamment similaire.

Le point de départ de ces deux totalitarismes comme régimes politiques est sans doute le fait, tout simple, mais si essentiel pour comprendre ce qui va se jouer, de l'absolue fausseté de leurs idéologies respectives. L'histoire de l'humanité n'est pas la lutte des races entre elles, tout comme l'histoire ne trouve pas un sens dans une lutte de classes les unes contre les autres. Sauf peut-être dans l'imagination paranoïaque d'un Hitler ou d'un Lénine, les Juifs ne sont pas de toute éternité en guerre contre les « Aryens », et l'histoire de l'humanité ne s'explique pas par une lutte à finir entre les classes. Mais une idée ne perd pas son effectivité du fait de sa fausseté. Tout comme la violence d'un mari jaloux n'a pas besoin de cause véritable pour se révéler dans toute sa brutalité, il suffit de *croire* que la lutte des races ou la lutte des classes soient vraies pour que s'enclenchent des logiques destructrices.

Ces guerres, qui n'existent d'abord que dans la tête d'un nombre restreint de militants, sont rendues vraies à la fois par la pratique et par la propagande. Dans le cas soviétique, la résistance à la dictature bolchevique des premiers jours a été interprétée très vite par les dirigeants du mouvement comme une résistance de classe. Pas de demi-mesure possible dans cette guerre civile qui déchire la Russie de 1917 à 1921 et dans laquelle les ennemis du régime ne seront évidemment pas imaginaires. Or, la distinction entre l'ami et l'ennemi sera souvent poreuse. Offrir quelque résistance à l'hégémonie bolchevique fait immédiatement de vous, aux yeux du régime, un « ennemi de classe ». Une paysanne qui tente de conserver le fruit de son labeur en refusant de dire aux soldats de l'Armée rouge où elle cache son blé, ou alors un ouvrier en retard à son travail pouvaient être sommairement fusillés pour « sabotage contre-révolutionnaire ». Il ne s'agit pas ici d'anecdotes. Dans l'histoire du totalitarisme communiste, le nombre de ces victimes « de classe » se comptera en dizaines de millions. Du côté nazi, avant leur prise de pouvoir, les chemises brunes se livrent à de l'intimidation à l'endroit des Juifs, en s'attaquant notamment aux vitrines des commerçants. Bientôt seront créés les premiers camps de concentration où l'on s'efforcera d'anéantir la totalité des Juifs d'Europe. Dans un cas comme dans l'autre, on fait comme si cette guerre entre les classes ou entre les races était vraie. Et pour rendre la chose encore plus crédible, d'un côté comme de l'autre on mettra au point des techniques de propagande sophistiquées, si bien qu'un individu qui vit dans un régime totalitaire vit dans un monde permanent de mensonges où, comme l'a bien vu Orwell, « la guerre c'est la paix », et « la liberté, c'est l'esclavage ». On mesure toute la force de ces propagandes et l'attrait de ces régimes à la manière dont nombre d'intellectuels en Occident, qui ne sont pourtant pas directement soumis à celles-ci, en goberont avidement chaque phrase.

Étant donné que pour le nazisme comme pour le communisme l'histoire a un sens indépendant de la volonté humaine, et que ce sens est une lutte à mort entre les classes ou entre les races, il n'y a pas pour l'individu de neutralité possible. Si le sens de l'histoire est de voir triompher sa race ou sa classe, la neutralité ou la simple inaction n'est pas seulement interdite, elle est carrément criminelle[2]. La liberté individuelle, dans pareils régimes, n'a littéralement pas de sens, d'où la nécessité des polices politiques (Gestapo du côté nazi, Guépéou, NKVD puis KGB du côté soviétique) qui surveillent les moindres faits et gestes de quiconque paraît suspect. Ou l'on raisonne dans le sens de l'idéologie du parti, ou alors on énonce une vérité autre qui équivaut à remettre en question ce récit et donc à se placer objectivement du mauvais côté de l'histoire. Tant Lénine qu'Hitler conspuaient fanatiquement la liberté de presse, artifice bourgeois, à leurs yeux, ne pouvant qu'être utile à leurs ennemis. La seule liberté permise dans pareil régime est celle qui consiste à épouser la nécessité du sens de l'histoire, quitte d'ailleurs à se sacrifier soi-même pour le bien du guide ou du parti. Les procès de Moscou, dans les années 1930, lors desquels des hauts dirigeants du parti communiste sont venus confesser sous l'œil inquisiteur d'un Vychinski leurs crimes contre-révolutionnaires, montrent bien l'ampleur de cette dérive idéologique. Les communistes les plus convaincus sont venus avouer des crimes imaginaires tous plus farfelus les uns que les autres. Si certains l'ont fait par peur, d'aucuns ont rationalisé leur propre sacrifice au profit du parti en se disant qu'ils devenaient ainsi un rouage nécessaire dans la grande marche de l'Histoire.

En un mot, les régimes totalitaires brouillent la distinction entre le privé et le public, par une extension sans précédent de la sphère politique. Le totalitarisme attribue à chacun des gestes des hommes, des gestes publics aux gestes les plus intimes, une signification dans un métarécit dans lequel les êtres humains forment pourtant la part négligeable. Si l'histoire a un sens, et que ce sens est une lutte à mort entre groupes, alors cette lutte à mort doit être poursuivie jusqu'à sa conclusion logique et les êtres humains ne sont alors que les acteurs automates d'une pièce de théâtre qu'ils n'ont pas écrite. C'est en ce sens que le totalitarisme est « inhumain » ; il n'a que faire de tout ce qui distingue l'humanité de l'animalité : sa liberté, son libre arbitre,

2. Ce qui est évidemment incohérent : si l'histoire est déterminée par avance et que son déroulement est indépendant de l'action et de la volonté humaines, pourquoi se fatiguer ?

son goût de la beauté, son sens de la justice, ou alors sa créativité. Sous ces régimes, l'art (ce que l'humanité a jusqu'ici fait de mieux de sa liberté) se place souvent servilement au service de l'idéologie du parti, si bien que l'art « officiel » de ces régimes, pourtant abondant et admiré sur le moment, remplit les dépotoirs dès que s'écroule le régime. Même la science en arrive aussi à se placer au service de l'idéologie officielle, multipliant les théories bidon, que l'on impose aux scientifiques intègres par voie de chantage et d'intimidation (affaire Lyssenko en URSS, *Forschungs und Lehrgemeinschaft « Das Ahnenerbe »* dans le cas nazi). Enfin, l'endoctrinement totalitaire bouleverse les solidarités humaines naturelles, amenant l'enfant à dénoncer ses parents, l'ami à vendre le voisin, l'époux à rapporter chaque fait et geste de sa conjointe aux autorités.

Ce qu'il y a de plus terrible dans les philosophies de l'histoire des régimes totalitaires, c'est leur capacité à justifier la torture, le meurtre, les camps de concentration, le goulag, les chambres à gaz, la Shoah ou encore les *laogais* comme étant des étapes nécessaires dans une grande marche en avant de l'humanité. Cette marche vers le grand soir, quand l'humanité sera enfin débarrassée des « bourgeois exploiteurs » ou des « races inférieures » est évidemment une vaste illusion parce que les régimes totalitaires ont besoin de la figure de l'ennemi pour justifier leur pouvoir. Si bien qu'après les Juifs et les Tsiganes, les nazis prévoyaient l'élimination d'autres races, alors que du côté communiste, la chasse aux imaginaires « ennemis de classe » ne connaîtra jamais de fin. Mao, passé maître dans l'art de se maintenir au pouvoir en mettant les graves problèmes économiques de la Chine sur le compte d'ennemis controuvés de la Révolution, provoquait ainsi à intervalles réguliers des crises artificielles à la grandeur du pays, là encore au prix de millions de victimes innocentes.

Étant donné la progression rapide des démocraties libérales depuis une cinquantaine d'années, on peut avoir l'impression que la menace totalitaire est passée. N'oublions pas, pourtant, qu'au moment d'écrire ces lignes, les Coréens du Nord vivent toujours dans un univers concentrationnaire à la grandeur d'un pays. Rappelons-nous aussi que les démocraties libérales l'ont échappé belle, car le totalitarisme n'a pas été véritablement battu par les régimes libéraux. Si Hitler était resté fidèle à l'esprit du pacte Ribbentrop-Molotov et que la violente collision entre ces deux régimes totalitaires ne s'était pas produite, qui sait si les régimes libéraux auraient eu les reins assez solides pour tenir tête à deux totalitarismes en même temps. Il aura fallu Stalingrad pour épuiser les forces vives du totalitarisme nazi, alors que, du côté soviétique, le régime ne succombera pas des suites d'une guerre, mais croulera, des décennies plus tard, sous le poids de ses propres contradictions. Or, avant que ne s'effondre l'URSS, des centaines de millions de vies se seront déroulées dans le chuchotement et la peur, dans l'attente que finisse cette expérience inhumaine et sinistre.

S'il n'y avait qu'une leçon à retenir des malheurs du siècle dernier provoqués par les régimes totalitaires, ce serait peut-être l'importance d'apprécier la valeur des régimes pluralistes libéraux, ce qui, certes, n'est pas toujours facile. C'est le propre des régimes libéraux d'être foncièrement insatisfaisants. La démocratie libérale est empêtrée dans ses contradictions, elle qui n'arrive jamais à incarner parfaitement son idéal d'égale liberté. On pourra toujours lui reprocher, à gauche comme à droite, de ne pas être assez équitable, de faire entrave à la liberté, que sa police commet parfois des bavures, que ses tribunaux sont trop ou pas assez cléments, que la démocratie parlementaire est inefficace ou non représentative, que les politiciens se préoccupent davantage de leur réélection que du bien de la population, qu'elle n'est pas assez lucide ou solidaire, ou alors qu'elle n'est pas en conformité avec la parole de tel ou tel Dieu. Si ces critiques sont souvent avérées, elles devraient nous inciter à chercher à combattre ces dérives de manière à renforcer l'État de droit, plutôt que de succomber à la tentation de le sacrifier au nom de paradis idéologiques. Car si le paradis existe peut-être quelque part, après le Goulag ou Auschwitz, il n'est plus permis de douter de l'existence de l'enfer.

François Charbonneau est professeur à l'École d'études politiques de l'université d'Ottawa et directeur de la revue Argument.

Le vouvoiement dans tous ses états

Carolle Simard

Mon parti pris pour le vouvoiement est archiconnu et je supporte mal qu'on le remette en question sous prétexte que les Québécois sont tous de la même eau. Je rechigne lorsqu'un inconnu me tutoie. Voire, je n'hésite jamais à rétorquer à l'intrus : « Est-ce que je vous connais ? » Ou encore : « Pourquoi me tutoyez-vous ? » J'en ai contre la culture des copains et des copines qui, malheureusement, est en train de faire école. La tenue racoleuse de nombre d'animateurs de talk-shows qui sont à tu et à toi avec tous leurs invités est franchement insupportable. Pourquoi donc, au Québec, tient-on à ce point à être intime avec tout le monde et son chien ? S'agit-il là d'une des grandes caractéristiques du modèle québécois, voire de notre identité ?

Pour certains, vouvoyer est archaïque, voire déplacé. Le tutoiement, rappellent-ils, est destiné à mettre les gens à l'aise et à dissiper la distance intrinsèque à toute relation sociale. Héritage de la Révolution tranquille, le tutoiement s'est répandu comme une traînée de poudre dans les écoles, les collèges et les universités. L'usage du tu crée un sentiment de proximité et d'égalité et simplifie les rapports sociaux, clament les prosélytes du tutoiement. À l'opposé, soulignent-ils, le vous installe une barrière entre les interlocuteurs, ce qui favorise la différenciation. En somme, les tenants du vous sont qualifiés de distants et de snobs ; on les soupçonne de refuser toute évolution de nos codes de sociabilité.

Cela étant, je vois les choses bien différemment. Partisane du vouvoiement dans toutes les circonstances, il est clair pour moi que le tutoiement généralisé fait problème, en plus de mettre les gens mal à l'aise. Tutoyer une personne inconnue est un geste grave dans la mesure où l'impoli signifie à l'autre qu'il ne reconnaît pas la distance vitale dont ont besoin les êtres humains pour entretenir des relations. À l'évidence, les partisans du tu carburent aux relations ambiguës, notamment s'ils sont en situation d'autorité. Ils adorent brouiller les pistes, histoire de se montrer « cool », près des gens et accessibles. Mais, la plupart du temps, ils refusent d'assumer leurs responsabilités : au bureau, à l'école et à l'université.

Le tu me dérange parce qu'il sonne faux. La personne qui en use et en abuse dit à l'autre : je suis intime avec toi, mais je ne te demande pas la permission. Or, dans beaucoup de cas, il s'agit d'une intimité tyrannique imposée par un de nos semblables et dont on ne veut pas. Pour cette raison, je revendique haut et fort le droit de choisir les gens avec qui je désire être intime, à savoir, les membres de ma famille, mes amis et certains de mes collègues. Pour les autres, la distance est de mise et le vous s'impose. Sinon, les codes sociaux sont violés ; le malaise et la confusion s'installent au détriment de la sociabilité.

Les règles de la sociabilité

La culture de l'intime et de la familiarité est à la mode. Pourtant, selon les spécialistes de la communication et de la pédagogie, la distance demeure le moyen le plus efficace pour informer et instruire. Pourquoi cette distance obligée ? Tout simplement parce que la vie en société oblige l'humain à entretenir des relations avec ses semblables, ces derniers ne faisant pas nécessairement partie de ses intimes. On le sait, toute relation sociale contient une part de réciprocité, ce qui oblige les partenaires à faire montre de respect les uns envers les autres. Composante essentielle des règles du jeu social, la politesse permet à tous et chacun d'être en lien avec ses semblables, sans que ces derniers soient des intimes ou des amis. En vertu du code social, il est nécessaire d'établir une distance dans nos relations humaines et le vouvoiement permet justement de pratiquer l'art du vivre ensemble.

Il y en a pour qui le vouvoiement est le comble du raffinement et des bonnes manières, ce qui, dans leur bouche, est synonyme de comportements de parvenus et de petits bourgeois. Ces adeptes contemporains de Duplessis créent des petits, telle cette étudiante de mon université qui m'a confié en vouloir à sa mère, cette dernière ayant omis de lui enseigner les règles du vouvoiement ; après avoir tutoyé son nouveau propriétaire, cette jeune personne s'était fait rabrouer vertement par ce dernier qui avait trois fois son âge. Ou encore cet autre, jeune étudiant brillant que le vice-président d'une grande banque m'a avoué avoir refusé d'embaucher parce qu'il l'avait tutoyé lors de leur première rencontre, craignant que ce malpoli indispose ses clients. Ces exemples montrent bien que ceux qui ruent dans les brancards au nom de principes égalitaristes aussi fumistes que désolants n'ont rien compris aux exigences de la vie en société.

Le vivre ensemble

Pourquoi tient-on à tuer la sociabilité sous prétexte d'intimité avec Pierre, Jean et Jeannette ? Je récuse l'idée selon laquelle les rapports avec nos semblables doivent être simplifiés à l'extrême au point de perdre tout sens des proportions. Des plaintes déposées contre des policiers tutoyant les citoyens, d'autres par des résidents de maisons de retraite tutoyés sans vergogne par les préposés qui leur parlent comme s'ils étaient des demeurés : les exemples abondent. Dans les espaces de communication, le vouvoiement s'impose et tout le monde doit se plier à cette règle élémentaire. Il constitue une règle dont la transgression recèle des conséquences importantes. Il fait partie des devoirs sociaux inscrits dans le code de communication de ceux qui parlent français. Souvent, les relations sociales sont mises en péril par le corps à corps plus ou moins musclé dont sont témoins les espaces de communication. Admettons donc que le commerce avec autrui ne va pas toujours de soi et que les échanges qui s'ensuivent manquent parfois d'élégance.

Au Québec, des fondements du savoir vivre ensemble ont été jetés aux orties et le vouvoiement en constitue un des éléments.

Dans un tel monde, on insiste sur la mise au rancart de tous les aspects du formalisme, et pour en finir avec les traditions de nos ancêtres. Mon appel à la distance dans les relations sociales prend racine dans le fait que le progrès que je défends exige de la civilité dans les échanges. Malheureusement, d'aucuns estiment que l'usage effronté du tu nous mènera au nirvana de l'accessibilité, de la transparence et de l'intimité. Pour ma part, je plaide pour le respect d'autrui à travers une mise à distance de l'autre. Je refuse l'intimité déplacée de tous ceux qui estiment que le tutoiement généralisé fait désormais partie des spécificités de notre société. Mon étonnement est toujours aussi grand lorsque j'entends mes étudiants d'origine étrangère m'informer de ce fait : au Québec, me rétorquent-ils, on doit tutoyer les gens. Mon questionnement les amène à préciser qu'ils ont entendu cette assertion à maintes reprises. Dans un tel contexte, avouons que réparer les torts s'avère plutôt difficile.

Le vous distinctif

Dans le Québec d'aujourd'hui, il est important de refaire le consensus social à propos du vouvoiement : partout et sans exception. La familiarité qui nous entoure doit cesser ; à cet égard, nous avons tous à faire un examen de conscience, sans distinction d'âge et de statut social. J'ai rencontré quantité de jeunes personnes qui rechignent à se faire tutoyer avec effronterie par des baby-boomers qui les interpellent de la sorte : « Aie, le jeune, j'chu pressé ; grouille-toé. » Le vouvoiement est un instrument qui distingue les locuteurs francophones. Au Québec, d'une manière plutôt fâcheuse, la règle commune du vouvoiement semble être passée de mode. Dans les années 1960, les catholiques se sont même mis à tutoyer Dieu, au nom du rapprochement de l'Église et de ses ouailles. Mais toute cette familiarité n'a pas produit les résultats escomptés et les fidèles ont, depuis, déserté massivement les enceintes ecclésiastiques. Il existe une relation certaine entre la perte du vouvoiement et la vulgarité et l'agressivité dont sont empreintes nos relations sociales. De leur côté, les humoristes sombrent de plus en plus dans des spectacles de caniveaux, et personne n'y trouve à redire.

Mais en quoi toute cette vulgarité et ce relâchement nous amènent-ils collectivement vers la formation d'êtres libres, capables de penser et d'agir de manière raisonnable ? On a tort de croire que le ridicule ne tue pas. Bien au contraire : les insultes et les grossièretés sont devenues notre nouvelle manière d'échanger et la sociabilité en prend pour son grade. Pour vous en convaincre, branchez-vous dix minutes sur la twittosphère. Le commerce avec autrui est ramené au corps à corps verbal, aux injures et aux procès d'intention. Certes, le vouvoiement est un artifice. Pourtant, il permet de pacifier les échanges et les espaces de communication. S'agissant d'un code social que certains attribuent à tort à une mécanique de l'hypocrisie, le vouvoiement doit reconquérir ses lettres de noblesse ici et maintenant.

Nos institutions vivent des jours sombres ; aux prises avec un grave déficit de légitimité, elles semblent avoir perdu leur capacité à nous diriger. Le Québec, s'il veut retrouver son sens des responsabilités, s'il prétend être un lieu d'épanouissement pour toutes les générations, ne peut se payer le luxe de valoriser l'intimité tyrannique qui a conduit bien des citoyens à être à tu et à toi partout et quelles que soient les circonstances. Si nous voulons que le respect reprenne ses droits, commençons par nous vouvoyer. Parions que, d'ici peu, notre société s'en portera mieux.

Le vouvoiement demeure un rituel d'interaction qu'on ne peut jeter par-dessus bord sans conséquences. Au risque de passer pour une passéiste, je plaide pour le retour en force de cette règle codifiée et non définie arbitrairement. Il s'agit d'une valeur partagée que nos ancêtres ont intériorisée, une sorte de code moral à la base des relations et censé nous élever au-dessus de la mêlée. En ces temps de grande turbulence, mon opinion est que le retour du vouvoiement peut constituer un tremplin pour nous amener vers une réflexion porteuse de distinction les uns à l'égard des autres.

Carolle Simard est professeur titulaire au département de science politique de l'université du Québec à Montréal. Elle s'intéresse depuis nombre d'années au civisme et aux règles du vivre ensemble. Elle a notamment publié Cette impolitesse qui nous distingue *(Boréal, 1994).*

Tarifs d'abonnement annuel

	Canada	États-Unis	Autres Pays
Régulier	24 $*	30 $	40 $
Bi-annuel	40 $*	50 $	70 $
Institutionnel	70 $*	80 $	80 $

*Taxes incluses

NOM PRÉNOM

INSTITUTION

ADRESSE rue

ville pays code postal

TÉLÉPHONE au travail à domicile

télécopieur adresse électronique

PAIEMENT CHÈQUE ❑ MANDAT ❑ ________$

Faites votre chèque ou mandat au nom d'*Argument*

Visa nº

Master Card nº

Les 3 derniers chiffres figurant sur le panneau de signature ❑ ❑ ❑

Date Signature

Date d'expiration

Faites parvenir votre coupon d'abonnement à l'adresse suivante :
Revue Argument, Éditions Liber, 2318, rue Bélanger,
Montréal, Québec, H2G 1C8

Courriel : abonnement@revuargument.ca
On peut aussi s'abonner directement sur le site d'*Argument* :
www.revueargument.ca

Achevé d'imprimer en novembre 2012,
sur les presses de Marquis imprimeur
Montmagny, Québec